Sur l'auteure

Née en 1748 et guillotinée en 1793, Olympe de Gouges est une femme de lettres et politicienne française. Elle est considérée comme l'une des pionnières du féminisme en France, notamment grâce à ses nombreuses prises de position en faveur des droits civils et politiques des femmes. La *Déclaration des droits de la femme et de la citoyenne* reste son écrit le plus connu.

OLYMPE DE GOUGES

MÉMOIRE DE MME DE VALMONT

Texte établi, présenté et annoté
par Raymond Trousson

BOUQUINS ÉDITIONS

NOTE DE L'ÉDITEUR

Les notes de Mme de Gouges sont appelées par des lettres, celles de Raymond Trousson par des chiffres.

INTRODUCTION

Quand Olympe de Gouges eut cessé d'être séduisante, écrivait Charles Monselet, « elle entreprit de devenir la Sapho de son siècle. [...] Déplorable erreur de ces femmes sans vocation qui se servent de la rhétorique comme d'un pot de fard ou d'une boîte à mouches, qui pensent qu'un volume leur ôtera une ride, et que la jeunesse du cerveau fait l'éternelle jeunesse du visage ! [...] Déjà, chose inévitable, la littérature a exclu la coquetterie, son œil devient hagard, sa chevelure est dépeignée comme une métaphore de mauvais goût. Triste destinée des auteurs femelles[1] ».

Désolant portrait de l'écrivain. Que dire de la révolutionnaire ! En 1904, le savant docteur Alfred Guillois se livre à une étude médico-psychologique de son cas. À ses yeux, les femmes qui ont pris une part active à la Révolution étaient toutes des « déséquilibrées ». La preuve ? Voyez Théroigne de Méricourt, l'une de ces bacchantes sanguinaires

---

1. Ch. Monselet, *Les Oubliés et les Dédaignés*, Paris, Poulet-Malassis, 1861, t. I, p. 146.

qui se ruaient, le 10 août 1792, à l'assaut des Tuileries et qui n'échappa à l'échafaud en 1794 que pour finir folle, en 1817, à la Salpêtrière[1]. Pour Olympe, c'est clair : manie de la persécution, hystérie, érostratisme, désordre confusionnel, féminisme aberrant. Bref : « *Paranoïa reformatoria*, c'est-à-dire à idées réformatrices[2]. » Devant un tel parti pris obsessionnel, on se demande s'il fallait soigner la patiente ou le médecin. Olympe de Gouges est en effet un « cas », mais pour des raisons qui ne relèvent pas de la démence.

Fille d'un bourgeois de Montauban, Anne Olympe Mouisset avait attiré l'attention d'un seigneur du lieu, Jean-Jacques Lefranc de Caix, plus tard marquis de Pompignan. Ils se connaissaient depuis l'enfance et elle ne le repoussait pas. On jugea donc opportun d'éloigner le jeune homme. À quelque chose malheur d'amour est bon. Arrivé à Paris en 1734, Lefranc donne sa tragédie de *Didon* et devient célèbre. Il confirme son succès l'année suivante aux Italiens avec *Les Adieux de Mars*. Peu importe ici sa carrière : poésies, livrets d'opéras, dissertations savantes, traduction des Psaumes de David, traduction – la première – des tragédies d'Eschyle, de Virgile, d'Hésiode… En 1756, il donnera des *Poésies sacrées* dont se gaussera l'incorrigible Voltaire – sacrées elles sont, disait-il, car personne n'y

1. Voir L. Devance, « Le féminisme pendant la Révolution française », dans *Annales historiques de la Révolution française*, XLIX, 1977, p. 348-349.

2. A. Guillois, *Étude médico-psychologique sur Olympe de Gouges*, Lyon, A. Rey, 1904, p. 68.

touche. Il s'en prenait au savant dans ces vers sautillants, facétieux, dont il avait le redoutable secret :

> Savez-vous pourquoi Jérémie
> A tant pleuré pendant sa vie ?
> C'est qu'en prophète il prévoyait
> Qu'un jour Lefranc le traduirait.

Comme Lefranc, dévot sans être fanatique, s'est mis à dos les philosophes par ses attaques assez mal venues dans son discours de réception à l'Académie, il conviendra de le couvrir de ridicule, et Voltaire encore n'y manqua pas dans ses satires de *La Vanité*, du *Russe à Paris* ou du *Pauvre Diable* et déversa sur lui la mordante série des *Quand*, que l'abbé Morellet vint renforcer par les *Si* et les *Pourquoi*, préludes à une pluie de *Pour*, de *Que*, de *Qui*, de *Quoi*, de *Oui*, de *Non*[1].

Il était revenu à Montauban en 1737, mais on l'avait de nouveau éloigné et, cette même année, Anne Olympe épousa un jeune marchand, Pierre Gouze. Dix années passent et le marquis s'installe à Montauban comme président de la cour des aides. Pierre Gouze était alors absent. Marie Gouze naît le 7 mai 1748 – « le jour même de son retour », dira-t-elle – et la rumeur publique ne laisse aucun doute sur le père véritable. Veuve en 1750, Anne Olympe se remarie. Lefranc se retire alors dans sa terre de Pompignan, épouse en 1757 Mlle de Caulincourt,

---

1. Voir F. H. Duffo, *Jean-Jacques Lefranc, marquis de Pompignan, poète et magistrat*, Paris, Picard, 1913 ; T. E. D. Braun, *Un ennemi de Voltaire. Lefranc de Pompignan*, Paris, Minard, 1972.

veuve d'un fermier général, oublie définitivement maîtresse et fille naturelle[1] et ne se soucie plus que de son fils, Jean Georges, né en 1760, dont Olympe de Gouges parlera comme de son demi-frère.

La petite Marie eut une éducation bâclée. Elle sait lire et écrire – maladroitement –, mais elle est de culture orale occitane et le français est pour elle une seconde langue. À dix-sept ans, on la marie à Louis Aubry, boucher et traiteur, à qui elle donne un fils, Pierre, en 1766. Son mari meurt peu après et elle prend le nom d'Olympe de Gouges, se lie avec Jacques Biétrix de Rozières, fils d'un entrepreneur de transports militaires et le suit à Paris, où elle essaie en vain de se rappeler au souvenir de Lefranc de Pompignan. On ne sait trop ce que fut alors sa vie. Restif de La Bretonne la traite de « fille », d'autres de courtisane, mais on s'accorde à la trouver belle : grande, les cheveux châtains, les yeux bruns, les traits fins et réguliers. Elle eut assurément des liaisons, peut-être même avec le cousin du roi, Philippe d'Orléans, futur Philippe Égalité. On le dira du moins, par exemple dans le *Dictionnaire des grands hommes* : « Cette femme célèbre dans la littérature, dans la galanterie et dans la Révolution [...] est estimable à tous égards ; elle donne de temps en temps, quoique veuve, de petits citoyens à la nation. Malheureusement, ceux qu'elle a faits avant la Révolution doivent être aristocrates,

1. Pour les données biographiques, tous les travaux anciens, plus ou moins fantaisistes, sont éclipsés par l'excellent ouvrage d'O. Blanc, *Olympe de Gouges*, Paris, Syros, 1981. Le live de P. Noack (*Olympe de Gouges*, traduit de l'allemand par I. Duclos, Paris, B. de Fallois, 1993) n'en offre qu'une sorte de résumé.

puisque quelques-uns sont sortis des écuries d'Or-léans[1]. » Olympe lui dédia, c'est vrai, une édition de ses œuvres, mais elle le haïra après qu'il eut voté la mort du roi.

En 1778, assagie, elle se tourne vers les lettres, se lie avec Mercier, Cubières ou Cailhava. Malhabile la plume à la main, elle dicte à des secrétaires. Son manque d'instruction ne la gêne guère. Elle en ferait plutôt parade : « Je dicte avec mon âme, dit-elle dans *La Fierté de l'innocence*, jamais avec mon esprit. » Peu importe d'ailleurs : « Le cachet naturel du génie est dans toutes mes productions. » Et encore : « À chaque ligne de mes écrits, on trouve le cachet de l'ignorance ; mais cette ignorance n'est pas incom-patible avec un génie naturel, et, sans le génie, que produit l'instruction[2] ? » En 1784, l'année de la mort de Lefranc de Pompignan, elle publie le *Mémoire de Madame de Valmont*, roman autobiographique.

L'année suivante, elle propose *Zamore et Mirza*, sur l'esclavage des Noirs, où elle osait montrer gra-cié un esclave meurtrier. Le comité de lecture de la Comédie-Française accepte la pièce[3], mais les répé-titions sont constamment différées sur l'intervention

1. *Dictionnaire des grands hommes et des grandes choses qui ont rapport à la Révolution*, Paris, 1791, p. 87.
2. Olympe de Gouges, *Écrits politiques*. Préface de O. Blanc, Paris, Côté-Femmes Éditions, 1993, t. I, p. 79, t. II, p. 156.
3. C'était en soi une réussite. Avant Olympe de Gouges, bien rares étaient les femmes qui avaient pu faire jouer une pièce à la Comédie-Française : Mmes Barbier, de Gomez, Du Boccage et de Graffigny. Voir E. Showalter, « French Women Dramatists of the Eighteenth Century », dans *Studies on Voltaire and the Eighteenth Century*, 264, 1989, p. 1203.

du duc de Duras et du puissant parti des colons. C'est le début de bagarres sans fin avec les comédiens jusqu'à ce qu'on la donne enfin, rebaptisée *L'Esclavage des nègres*, à la fin de 1789. Un chahut organisé la fit tomber après trois représentations et la *Correspondance littéraire* la jugea lamentable. D'autres pièces suivirent, jouées ou non : *Les Vœux forcés, L'Homme généreux, Le Philosophe corrigé ou le Cocu supposé, Molière chez Ninon* ou *Mirabeau aux Champs-Élysées*. Ce n'étaient pas des chefs-d'œuvre, mais ils valaient bien la plupart des pièces de circonstance de l'époque[1]. Une semaine avant l'exécution de Louis XVI, elle donne au théâtre de la République une sorte de revue à grand spectacle, *L'Entrée de Dumouriez à Bruxelles*. Pas de chance : un mois plus tard, le héros passait à l'ennemi. D'ailleurs, la *Correspondance littéraire* encore estima l'ouvrage vulgaire, obscène et « étrangement mauvais ».

La politique la passionne. Dès 1788, elle a lancé sa première brochure, une *Lettre au peuple ou Projet d'une caisse patriotique*, proposition d'impôt volontaire pour tous les ordres de la nation, puis des *Remarques patriotiques*, vaste programme d'utiles réformes sociales. L'ouverture des états généraux la transporte et elle salue la Révolution avec ferveur, en partisane d'une monarchie constitutionnelle, puisque jusqu'au 10 août 1792 elle se

---

1. On s'en fera une idée en lisant son *Théâtre politique*. Préface de G. Thiele-Knobloch, Paris, Côté-Femmes Éditions, 1991. Sur le théâtre de cette époque : M. Carlson, *Le Théâtre de la Révolution*, Paris, Gallimard, 1970.

définira « royaliste modérée et patriote ». Elle imagine aussi, comme nombre d'autres femmes qui se pressent aux assemblées, que la Révolution est faite pour les deux sexes.

Les Lumières, on l'a vu, n'avaient élevé en faveur des femmes que des revendications modérées. Le seul à se préoccuper véritablement de leur sort est alors Condorcet. Dès 1787, dans ses *Lettres d'un bourgeois de New Haven*, il réclame pour elles les mêmes droits et les veut électrices et éligibles et, l'année suivante, requiert une éducation identique à celle des hommes. En 1790, dans le *Journal de la société de 1789*, il déclare sans détour que les législateurs ont « violé le principe de l'égalité des droits en privant tranquillement la moitié du genre humain de celui de concourir à la formation des lois ». Contre les préjugés, il assure : « Les droits des hommes résultent uniquement de ce qu'ils sont des êtres sensibles, susceptibles d'acquérir des idées morales, et de raisonner sur ces idées. Ainsi les femmes ayant ces mêmes qualités, ont nécessairement des droits égaux. » Mais il lui faut bientôt faire marche arrière en constatant les faibles chances de cette cause et en février 1793, dans un rapport introductif à un projet de constitution, il n'envisage plus le vote des femmes[1].

À présent que la Révolution était là, Olympe avait cru tous les espoirs permis. En mai 1789, elle s'écrie : « La femme prétend jouir de la Révolution et réclamer ses droits à l'égalité ! » Deux ans plus

---

1. Voir C. Kintzler, *Condorcet, l'instruction publique et la naissance du citoyen*, Paris, Gallimard, 1987 ; B. Didier, *Écrire la Révolution*, Paris, P.U.F., 1989, p. 73-88.

tard, elle soupire, consternée : « Ce sexe méprisable et respecté, est devenu depuis la Révolution respectable et méprisé[1]. »

Les femmes avaient été nombreuses dès le début dans la masse révolutionnaire et s'étaient manifestées partout[2] en formulant, pour la première fois, des revendications : abolition de l'autorité absolue du mari, droit au divorce, jouissance des biens pour la femme majeure, accès facilité aux métiers et charges publiques[3]. Une rédactrice du *Courrier de l'hymen* écrit en 1791 : « De quel droit […] les hommes seraient-ils exclusivement les arbitres de nos destinées ? Méritons-nous d'être traitées avec cette injustice, dans une révolution à laquelle nous avons eu tant de part ? Les hommes ne se souviennent-ils plus de nous avoir vues à l'attaque de la Bastille, sur le chemin de Versailles, et au champ de la Fédération[4] ? » Comme les hommes, elles n'ont pas tardé à fonder des clubs. La Hollandaise Etta Palm lance

1. Cité par O. Blanc, *Olympe de Gouges, op. cit.*, p. 190.
2. Voir E. Lairtullier, *Les Femmes célèbres de 1789 à 1795*, Paris, 1841, 2 vol. ; M. Albistur et D. Armogathe, *Histoire du féminisme français du Moyen Âge à nos jours*, Paris, Éditions des Femmes, 1977 ; *Le Grief des femmes*, Paris, Hier et Demain, 1979, 2 vol. ; J. Rabaut, *Histoire des féminismes français*, Paris, Stock, 1978 ; P. M. Duhet, *Les Femmes dans la Révolution*, Paris, Julliard, 1971 ; C. Marand-Fouquet, *La Femme au temps de la Révolution*, Paris, Stock, 1989.
3. Voir U. Dethloff, « Le féminisme dans la Révolution française », dans *Révolution et Littérature*, dir. par J. Schlobach, éd. de l'université de Varsovie, 1991, p. 63-72.
4. Cité par S. Diaconoff, « Feminism and the Feminine Periodical Press in the Age of Ideas », dans *Studies on Voltaire and the Eighteenth Century*, 264, 1989, p. 683-684.

au début de 1791 une Société patriotique et de bien-faisance et Théroigne de Méricourt une Société des amies de la loi ; en mai 1793 apparaît la Société des citoyennes républicaines révolutionnaires de Claire Lacombe et Pauline Léon[1]. Feu de paille. Marat ou Robespierre ne sont guère féministes et, sauf dans les fêtes civiques où elles illustrent un mythe très rousseauiste de la mère de famille, propice à une politique nataliste, les femmes sont rapidement exclues, tandis que la presse dénonce les « sangsues publiques » et les « bacchantes » trop voyantes. En avril 1793, la Convention décrète que, comme les mineurs ou les individus mentale-ment débiles, elles n'ont pas statut de citoyen ; en octobre, fermeture des clubs féminins. En mai 1794, interdiction d'assister aux assemblées politiques ; en mai 1795, interdiction de se réunir à plus de cinq et ordre de demeurer au foyer. Alors que les femmes réclamaient le droit à l'instruction, Sylvain Maréchal, le très progressiste auteur du *Manifeste des Égaux*, suggère de leur interdire d'apprendre à lire. À la loi divine se substituait la loi naturelle, qui prétendait attribuer à la femme des fonctions différentes[2] : l'homme est rationnel, la femme est sensible. Les esprits n'étaient pas pré-parés et les espoirs avaient vécu. Est-ce si surpre-nant quand on entend Mme de Staël, peu suspecte

1. L. Devance, « Le féminisme pendant la Révolution française », *op. cit.*, p. 361-363.
2. C. Rouben, « Une polémique inattendue à la fin du siècle des Lumières : le projet d'une loi portant défense d'apprendre à lire aux femmes », dans *Studies on Voltaire and the Eighteenth Century*, 304, 1992, p. 763-766.

pourtant de passivité : « On a raison d'exclure les femmes des affaires publiques et civiles ; rien n'est plus opposé à leur vocation naturelle que tout ce qui leur donnerait des rapports de rivalité avec les hommes et la gloire ne saurait être pour une femme qu'un deuil éclatant du bonheur[1]. »

On devine à quel point la bouillante Olympe de Gouges devait s'engager dans la lutte. Écrit en 1788, publié seulement en 1792, son roman du *Prince philosophe* exigeait l'accès au savoir et aux responsabilités :

Donnez un essor à ce sexe toujours faible, timide et contrarié dans ses goûts, privé des honneurs, des charges, enfin accablé par la loi du plus fort. [...] Il faudrait encore accorder à ce sexe plus d'émulation, lui permettre de montrer et d'exercer sa capacité dans toutes les places. Les hommes sont-ils tous essentiels ? Eh ! combien n'y a-t-il pas de femmes qui, à travers leur ignorance, conduiraient mieux les affaires que des hommes stupides qui se trouvent souvent à la tête des bureaux, des entreprises, des armées et du barreau. Le mérite seul devrait mener à ces places[2].

1. Mme de Staël, *De l'Allemagne*, Paris, Garnier, s.d., p. 524.
2. *Le Prince philosophe*, Paris, Briand, 1792, t. II, p. 7, 16-17. Voir M.-F. Silver, « Le roman féminin des années révolutionnaires », dans *Eighteenth Century Fiction*, 6, 1994, p. 310-312. Pour une analyse du roman : H. Coulet, « Sur le roman d'Olympe de Gouges : *Le Prince philosophe* », dans *Les Femmes et la Révolution française*, actes du colloque international 12-14 avril 1989, Toulouse, Presses universitaires du Mirail, 1990, p. 273-278.

Le 14 septembre 1791, elle lance, adressée à la reine, sa provocante et fervente *Déclaration des droits de la femme et de la citoyenne* :

Homme, es-tu capable d'être juste ? [...] Dis-moi ? qui t'a donné le souverain empire d'opprimer mon sexe ? [...] L'homme [...] veut commander en despote sur un sexe qui a reçu toutes les facultés intellectuelles ; il prétend jouir de la Révolution, et réclamer ses droits à l'égalité. [...] Femme, réveille-toi ; le tocsin de la raison se fait entendre dans tout l'univers ; reconnais tes droits. [...] Ô femmes ! femmes, quand cesserez-vous d'être aveugles ? Quels sont les avantages que vous avez recueillis dans la Révolution ? Un mépris plus marqué, un dédain plus signalé. [...] Opposez courageusement la force de la raison aux vaines prétentions de supériorité ; réunissez-vous sous les étendards de la philosophie ; déployez toute l'énergie de votre caractère. [...] Quelles que soient les barrières que l'on vous oppose, il est en votre pouvoir de les affranchir ; vous n'avez qu'à le vouloir[1].

Elle plaidait en faveur du divorce, réclamait le remplacement du mariage, « tombeau de la confiance et de l'amour », par une sorte de contrat social assurant la liberté des contractants, demandait l'accès aux charges et emplois, la libre disposition des biens. L'article I de sa *Déclaration* posait

---

1. *Écrits politiques*, *op. cit.*, t. I, p. 205-209.

clairement : « La femme naît libre et demeure égale à l'homme en droits », tandis que l'article X proclamait, dans une formule fameuse : « La femme a le droit de monter sur l'échafaud ; elle doit avoir également celui de monter à la tribune[1]. » Elle-même se verra condamnée pour motifs politiques, mais son féminisme a pu passer pour une circonstance aggravante, un article de l'époque en témoigne : « Elle voulut être homme d'État et il semble que la loi ait puni cette conspiratrice d'avoir oublié les vertus qui conviennent à son sexe[2]. » Celle qu'on traitera de virago hystérique était seulement en avance sur son temps.

On la retrouvera engagée dans toutes les étapes de la Révolution, multipliant brochures, lettres, pamphlets, placards, affiches. Après le 10 août et les massacres de septembre, elle situe dans la ligne girondine. Sans souhaiter le retour de la monarchie, elle redoute l'emprise jacobine et, lors du procès du roi, s'offre à seconder « le courageux Malesherbes »

1. Voir S. Spencer, « Une remarquable visionnaire : Olympe de Gouges », dans *Enlightenment Essays*, IX, 1978, p. 77-91 ; O. Blanc, *Olympe de Gouges, op. cit.*, p. 186-196 ; M. Maclean, « Revolution and Opposition. Olympe de Gouges and the *Déclaration des droits de la femme* », dans *Literature and Revolution*, éd. établie par D. Bevan, Amsterdam, Atlanta-Rodopi, 1989, p. 13-19 ; J. W. Scott, « A Woman Who has only Paradoxes to Offer », dans *Rebel Daughters. Women and the French Revolution*, éd. établie par S. E. Melzer et L. W. Rabine, New York-Oxford, University Press, 1992, p. 102-120.

2. *Écrits politiques, op. cit.*, t. I, p. 24. Voir aussi Ch. Thomas, « Féminisme et Révolution : les causes perdues d'Olympe de Gouges », dans *La Carmagnole des Muses*, dir. par J.-Cl. Bonnet, Paris, A. Colin, 1988, p. 312.

dans la défense du souverain : « Je suis franche et loyale républicaine, sans tache et sans reproche. [...] Je puis donc me charger de cette cause[1]. » Elle s'en prend avec fureur à Marat, « le boutefeu [...] dont jamais physionomie ne porta plus horriblement l'empreinte du crime [...] cannibale », puis à Robespierre lui-même : « Tu te dis l'unique auteur de la Révolution, tu n'en fus, tu n'en es, tu n'en seras éternellement que l'opprobre et l'exécration. [...] Ton souffle méphitise l'air pur, [...] ta paupière vacillante exprime malgré toi toute la turpitude de ton âme, et chacun de tes cheveux porte un crime[2]. » Lorsque tombent les Girondins, en juin 1793, elle prend intrépidement leur défense dans son *Testament politique* et se réclame hautement de leurs principes : « Je vous offre une victime de plus. Vous cherchez le premier coupable ? C'est moi ; frappez. [...] J'ai tout prévu, je sais que ma mort est inévitable[3]. » Contre la dictature jacobine, elle veut le libre choix de la forme du gouvernement. Ce sera sa perte. Elle prépare *Les Trois Urnes ou le Salut de la patrie*, une affiche destinée aux murs de Paris où elle demande que le peuple choisisse entre un gouvernement monarchique, une république « une et indivisible » – la formule des Jacobins – ou un gouvernement fédératif – principe girondin.

Olympe de Gouges est enfin arrêtée en juillet 1793, mais elle continue, de sa prison, à se répandre en invectives contre les tyrans. Blessée à la

---

1. *Écrits politiques*, *op. cit.*, t. II, p. 191, 16 décembre 1792.
2. *Ibid.*, p. 160, 169-170.
3. *Ibid.*, p. 236.

jambe, malade, elle est transférée dans une maison de santé. Eut-elle là un dernier amant ? On a parlé de Hulin, le premier qui pénétra dans la Bastille en 1789, futur général et comte d'Empire. Condamnée à mort, elle se prétend enceinte, peut-être pour gagner du temps, mais son éventuelle grossesse est trop récente pour être confirmée[1]. Elle écrivit une dernière lettre à son fils, Pierre Aubry, chef de brigade dans l'armée révolutionnaire : « Et toi, mon fils, de qui j'ignore la destinée, viens [...] te joindre à une mère qui t'honore. [...] Si tu n'es pas tombé sous les coups de l'ennemi, si le sort te conserve pour essuyer mes larmes, [...] viens en vrai Républicain demander la loi du Talion contre les persécuteurs de ta mère[2]. » Pierre jugea plus prudent de renier une mère dont la célébrité pouvait lui être funeste et signa une ardente profession de foi jacobine. Ce n'est que la Terreur passée qu'il se hasardera, en vain d'ailleurs, à demander sa réhabilitation. Le 3 novembre 1793, Olympe de Gouges monta dans la sinistre charrette. Au témoignage d'un contemporain, sa conduite inspira le respect : « Elle a porté à l'échafaud un front calme et serein qui a forcé les furies de la guillotine qui l'ont conduite jusqu'au

---

1. Michelet n'en juge pas trop favorablement : « Par une triste réaction de la nature dont les plus intrépides ne sont pas toujours exempts, amollie et trempée de larmes, elle se remit à être femme, faible, tremblante, à avoir peur de la mort. On lui dit que des femmes enceintes avaient obtenu un ajournement du supplice. Elle voulut, dit-on, l'être aussi. Un ami lui aurait rendu, en pleurant, le triste office, dont on prévoyait l'inutilité » (*Les Femmes de la Révolution*, Bruxelles, Kiessling, 1854, t. I, p. 122).
2. *Écrits politiques*, *op. cit.*, t. II, p. 260.

lieu du supplice de convenir que jamais on n'avait vu tant de courage réuni à tant de beauté[1]. »

*
* *

Passé la période de la galanterie, Olympe de Gouges se tourna donc vers les lettres et la politique. Vers 1784 ou 1785, en tout cas au lendemain de la mort du marquis Lefranc de Pompignan, survenue le 1er novembre 1784, elle entreprit un *Roman de Madame de Valmont* paru en 1788 dans ses *Œuvres*, sous le titre de *Mémoire de Madame de Valmont sur l'ingratitude et la cruauté de la famille des Flaucourt avec la sienne dont les sieurs de Flaucourt ont reçu tant de services*. La présentation était romanesque – celle d'un roman épistolaire – mais le contenu autobiographique : Olympe se désignait elle-même sous le nom de Valmont, les Lefranc de Pompignan sous celui de Flaucourt. Ce qu'elle racontait là, c'était son histoire, ou du moins celle de sa naissance illégitime et de la conduite peu chrétienne de Pompignan, de son épouse et de son frère.

La forme du *Mémoire* est bizarrement hybride et maladroite. Une préface destinée aux dames rappelle que les femmes « peuvent réunir les avantages de l'esprit avec les soins du ménage », mais aussi qu'elles seraient bien avisées d'être plus indulgentes entre elles sur leurs défauts, de mettre un terme à leurs sottes rivalités et à leurs médisances si elles prétendent cesser de donner prise aux railleries des hommes : « Ô femmes, femmes

1. Texte inédit cité dans *Écrits politiques*, *op. cit.*, t. I, p. 34.

de quelque espèce, de quelque état, de quelque rang que vous soyez, devenez plus simples, plus modestes, et plus généreuses les unes envers les autres. »

Cette exhortation est suivie d'une présentation où Olympe, sous le nom de Mme de Valmont, assure n'avancer que « des vérités authentiques ». Sans rien attendre pour elle-même, elle réclame pour sa mère âgée et malade une pension décente. Elle désigne le jeune marquis de Flaucourt comme son demi-frère, Mgr de Flaucourt – c'est-à-dire Jean Georges Lefranc de Pompignan, archevêque de Vienne – pour son oncle et le marquis de Flaucourt pour son père naturel qui, dit-elle, la « chérissait dans [son] enfance » et lui prodiguait de « tendres caresses ». Des gens qui connaissent ses origines l'ont engagée à s'adresser à l'« antagoniste » du marquis – entendons : Voltaire – qui se serait fait un plaisir d'ébruiter ce scandale, mais elle s'y est toujours refusée. Quelque temps, elle a cru à des promesses que la veuve du marquis s'est bien gardée de tenir : « À qui peut-on accorder sa confiance dans la société, quand ceux qui enseignent la religion et la clémence nous abandonnent ? » Longtemps elle a gardé le silence sur leur iniquité, par respect pour son père. Celui-ci disparu, elle n'a « plus de frein pour ceux qui lui ont survécu ». Son *Mémoire* sera donc une dénonciation et sans doute Olympe compte-t-elle bien que le public saura reconnaître les visages sous les masques.

On passe ensuite à l'échange épistolaire. Un auteur, dont on ne tarde pas à comprendre qu'il s'agit d'une femme, s'offre à composer une pièce de théâtre sur le sujet du *Mémoire*, encouragée d'ail-

leurs par un comte de ***, ami de Mme de Valmont. On comprend aussi que cet auteur n'est autre
qu'Olympe de Gouges, alias Mme de Valmont :
« Il y a tant d'analogies entre vous et moi, lui dit
celle-ci, que je ne doute pas qu'on ne nous confonde
ensemble. » L'identification se confirme un peu
plus loin, lorsque l'auteur annonce que le premier
volume de ses œuvres est à l'impression, ce qui était
en effet le cas de celles d'Olympe. Qu'on lui confie
le *Mémoire*, et il se charge du reste. Convaincue,
Mme de Valmont s'apprête à faire « la relation de
l'aventure du bal ».

La lettre V conte l'histoire de sa naissance et
de son enfance et fournit divers détails permettant
d'identifier les personnages. Olympe est d'ailleurs
explicite : « De quelles expressions puis-je me servir pour ne pas blesser la pudeur, le préjugé, et
les lois, en accusant la vérité ? Je vins au monde
le jour même de son retour, et toute la ville pensa
que ma naissance était l'effet des amours du marquis[1]. » Flaucourt, assure Mme de Valmont, aurait
souhaité se charger de l'éducation de sa fille naturelle, mais la mère de celle-ci s'y est obstinément
refusée. Déçu, Flaucourt s'est éloigné, a épousé la
veuve d'un financier dont il a eu un fils. Il y avait
là assez de données pour faire soupçonner la véritable identité des Flaucourt, particulièrement dans
ce Languedoc donné pour la patrie de la famille.

1. En dépit de ces précautions oratoires, Olympe de Gouges
revendique souvent sa bâtardise. Voir P. M. Duhet, *Les Femmes
et la Révolution, op. cit.*, p. 84. Le texte publié ici est celui de
l'édition de 1788.

Ce qui suit relève d'un romanesque peu crédible. À trente ans, Mme de Valmont a fait par hasard la connaissance du fils de Flaucourt, son demi-frère âgé de vingt-deux ans. Ils se sont aussitôt sentis en sympathie et le jeune marquis a témoigné à sa sœur une véritable affection. Elle profite d'une aventure nouée par le jeune homme au bal de l'Opéra pour monter une petite machination destinée à le délivrer d'une femme indigne de lui et de la néfaste influence d'un mystérieux Lafontaine, sorte d'homme de confiance qu'elle accuse de noirceur et de perfidie. Sous le nom de l'Inconnue, puis d'une amie de l'Inconnue, Mme de Valmont engage une prétendue correspondance amoureuse au terme de laquelle le jeune Flaucourt se retrouve mystifié : salutaire leçon qui le ramène à la raison et à la morale. On se demande ce qu'il peut y avoir de véridique dans ce rocambolesque épisode qui occupe vingt-trois lettres.

Mme de Valmont et le jeune marquis sont à présent assez liés pour que celui-ci approuve la lettre qu'elle adresse à son père : « je suis celle dont la voix publique vous a nommé le père, [...] j'ai dans la figure et le caractère plusieurs traits de ressemblance avec vous ». Elle évoque son enfance négligée, son mariage forcé, sa venue à Paris, son besoin de témoigner sa tendresse et supplie Flaucourt de faire quelque chose en faveur de sa mère, aujourd'hui malade et dans le dernier dénuement. Si, comme elle le prétend, Olympe n'avance que « des vérités authentiques », la lettre XXVII serait alors, sous le nom de Flaucourt, la véritable réponse de Lefranc de Pompignan à une lettre qu'elle lui aurait en effet adressée. Âgé, en mauvaise santé, le marquis, sous l'influence de son épouse, s'est enfermé dans la dévotion et veut donc oublier « les erreurs d'une trop coupable jeunesse ». Il l'admet, la jeune femme est en effet sa fille, mais elle n'a aucun droit : « Vous êtes, lui rappelle-t-il, née légitime et sous la foi du mariage. S'il est vrai cependant que la nature parle en vous, et que mes imprudentes caresses pour vous, dans votre enfance, et l'aveu de votre mère, vous assurent que je suis votre père, imitez-moi, et gémissez sur le sort de ceux qui vous ont donné l'être. » Il promettait cependant de ne pas oublier Olinde – c'est-à-dire Anne Olympe, la mère d'Olympe de Gouges et, dans le roman, de Mme de Valmont – et, après sa mort prochaine, de laisser à sa femme l'exécution de ses dernières volontés. Cette réponse de dévot, qui fait bon marché de la véritable charité chrétienne et des devoirs les plus élémentaires, s'attire une réflexion sur les méfaits de l'aveuglement religieux : « Quels sont donc les livres et les lois que ces gens pieux suivent ? Le fanatisme entraînera-t-il donc toujours les abus les plus odieux, l'inhumanité, la barbarie, l'ingratitude la plus noire et la plus atroce ? »

C'est qu'à l'époque, il y a beau temps que Lefranc de Pompignan s'est acquis une réputation d'homme vertueux et il préfère ne pas se souvenir des incartades de sa vie de célibataire. On imagine donc que sa famille – une épouse dévote et un archevêque – voit sans plaisir se manifester un peu désirable fantôme du passé, d'autant plus qu'il s'agit d'une dame dont la réputation galante n'est pas trop flatteuse. Rien de surprenant si l'on encourage le vieillard à faire la sourde oreille, quitte à lui promettre de prendre soin de son péché de jeunesse.

Flaucourt mort, Mme de Valmont et sa mère ne voient venir aucun secours. Elle comprend que la faute en est à la « cruelle épouse » qui distribue sa fortune aux couvents avant de prendre le voile, néglige les engagements contractés au chevet d'un mourant et pousse l'indignité jusqu'à brûler les manuscrits laissés par son mari. Persuadée désormais qu'elle n'a rien à attendre de ce côté, Mme de Valmont s'est tournée vers l'archevêque, frère de son père, qui l'a éconduite avec des paroles mielleuses. Suivent quelques lettres de la mère grabataire, bientôt frappée d'apoplexie, et que Mme de Valmont est seule à secourir de ses maigres ressources. En désespoir de cause, elle s'est adressée à ce demi-frère qui avait paru lui témoigner une affection sincère et lui avait promis son appui. Autre déception : le nouveau marquis de Flaucourt vient de se marier et n'entend pas non plus tenir ses promesses. Une dernière lettre de Mme de Valmont le conjure de revenir à de meilleurs sentiments. La conclusion de l'« auteur » insiste sur la véracité du *Mémoire* : « ces lettres ne sont pas de mon imagination, […] ce sont autant d'originaux que je n'ai eu d'autre peine que de mettre en ordre ». Un poème salue, malgré tout, la mémoire de l'inhumain marquis de Flaucourt.

Il est douteux que ce roman ne contienne rien que d'authentique, en dépit des affirmations réitérées d'Olympe de Gouges, et l'aventure du bal, avec la correspondance qui s'en suit, rappelle trop les artifices romanesques à la mode pour convaincre. Ces

pages contiennent cependant nombre de renseignements exacts, on le verra dans les notes. Elles ne
constituent pas un chef-d'œuvre : la construction est
déconcertante, parfois confuse, le style bâclé, presque
oral. Mais elles sont un témoignage attachant sur une
Olympe de Gouges réclamant ici pour elle-même,
comme elle n'a cessé de le faire pour les autres, le
respect de la justice et de l'humanité.

R. T.

MÉMOIRE DE MADAME DE VALMONT

(1788)

PRÉFACE POUR LES DAMES
Ou le portrait des femmes

Mes très chères sœurs,

C'est à vous à qui je recommande tous les défauts qui fourmillent dans mes productions.

Puis-je me flatter que vous voudrez bien avoir la générosité ou la prudence de les justifier ; ou n'aurais-je point à craindre de votre part plus de rigueur, plus de vérité que la critique la plus austère de nos savants, qui veulent tout envahir, et ne nous accordent que le droit de plaire. Les hommes soutiennent que nous ne sommes propres exactement qu'à conduire un ménage ; et que les femmes qui tendent à l'esprit, et se livrent avec prétention à la littérature, sont des êtres insupportables à la société : n'y remplissant pas les utilités elles en deviennent l'ennui.

Je trouve qu'il y a quelque fondement dans ces différents systèmes, mais mon sentiment est que les femmes peuvent réunir les avantages de l'esprit avec les soins du ménage, même avec les vertus de l'âme, et les qualités du cœur ; y joindre la beauté, la douceur du caractère, serait un modèle rare, j'en conviens : mais qui peut prétendre à la perfection ?

Nous n'avons point de Pygmalion comme les Grecs, par conséquent point de Galatée. Il faudrait donc, mes très chères sœurs, être plus indulgentes entre nous pour nos défauts, nous les cacher mutuellement, et tâcher de devenir plus conséquentes en faveur de notre sexe. Est-il étonnant que les hommes l'oppriment, et n'est-ce pas notre faute ? Peu de femmes sont hommes par la façon de penser, mais il y en a quelques-unes, et malheureusement le plus grand nombre se joint impitoyablement au parti le plus fort, sans prévoir qu'il détruit lui-même les charmes de son empire.

Combien ne devons-nous pas regretter cette antique chevalerie, que nos hommes superficiels regardent comme fabuleuse, elle qui rendait les femmes si respectables et si intéressantes à la fois ! Avec quel plaisir les femmes délicates ne doivent-elles pas croire à l'existence de cette noble chevalerie, lorsqu'elles sont forcées de rougir aujourd'hui d'être nées dans un siècle où les hommes semblent se plaire à afficher, auprès des femmes, l'opposé de ces sentiments si épurés, si respectueux, qui faisaient les beaux jours de ces heureux temps. Hélas ! qui doit-on en accuser, et n'est-ce pas toujours nos imprudences et nos indiscrétions, mes très chères sœurs ?

Si je vous imite dans cette circonstance, en dévoilant nos défauts, c'est pour essayer de les corriger. Chacune avons les nôtres, nos travers, et nos qualités. Les hommes sont bien organisés à peu près de même, mais ils sont plus conséquents : ils n'ont pas cette rivalité de figure, d'esprit, de caractère, de maintien, de costume, qui nous divise, et qui fait leur amusement, leur instruction sur notre propre compte.

Les femmes en général ont trop de prétentions à la fois, celles qui réunissent le plus d'avantages, sont ordinairement les plus insatiables. Si l'on vante un seul talent, une seule qualité dans une autre ; aussitôt leur ridicule ambition leur fait trouver, dans celle dont il est question, cent défauts, et même des vices, s'ils ne sont pas assez puissants pour détruire l'éloge qu'on en faisait. Ah ! mes sœurs, mes très chères sœurs, est-ce là ce que nous nous devons mutuellement ? Les hommes se noircissent bien un peu, mais non pas autant que nous, et voilà ce qui établit leur supériorité, et qui entretient tous nos ridicules. Ne pouvons-nous pas plaire sans médire de nos égales ?

Car je ne fais pas de différence entre la femme de l'artisan qui sait se faire respecter, et la femme de qualité qui s'oublie, et qui ne ménage pas plus sa réputation que celle d'autrui.

Dans quelque cercle de femmes qu'on se rencontre, je demande si les travers d'esprit ne sont pas partout les mêmes ? Les femmes de la Cour sont les originaux de toutes les copies des classes inférieures : ce sont elles qui donnent le ton des airs, de la tournure, et des modes ; il n'y a pas jusqu'à la femme de procureur, qui ne veuille imiter ces mêmes airs ; ajoutez-y l'épigramme et la satire entre elles, sans doute avec moins de naturel et de politique que les femmes de la Cour, mais toujours ne se faisant pas grâce dans l'une et l'autre classe du plus petit défaut.

Pour les femmes de spectacle, ah ! je n'ose continuer, c'est ici où je balance ; j'aurais trop de détails à développer, si j'entrais en matière. Elles sont universellement inexorables envers leur sexe, c'est-à-dire en général, puisqu'il n'y a pas de règle sans exception ; mais celles qui abusent de la fortune et de la réputation ; et qui sont loin de prévoir souvent des revers affreux, sont intraitables, sous quelque point de vue qu'on les prenne ; aveuglées sur leur triomphe, elles s'érigent en souveraines, et s'imaginent que le reste des femmes n'est fait que pour être leur esclave, et ramper à leurs pieds.

Pour les dévotes, ô grand Dieu ! je tremble de m'expliquer ; je sens mes cheveux se dresser sur ma tête ; à chaque instant du jour, elles profanent, par leurs excès, nos saints préceptes, qui ne respirent que la douceur, la bonté et la clémence. Le fanatisme rend la femme encore plus inhumaine : car si elle pouvait se livrer à sa fureur, elle reproduirait, suivant son pouvoir, toutes les horreurs de cette journée cruelle[1], à jamais mémorable dans la nation française.

Ô femmes, femmes de quelque espèce, de quelque état, de quelque rang que vous soyez, devenez plus simples, plus modestes, et plus généreuses les unes envers les autres. Il me semble déjà vous voir toutes réunies autour de moi, comme autant de furies poursuivant ma malheureuse existence, et me faire payer

---

1. Allusion à la Saint-Barthélemy et au massacre des protestants, dans la nuit du 23 au 24 août 1572.

bien cher l'audace de vous donner des avis : mais j'y suis intéressée ; et croyez qu'en vous donnant des conseils qui me sont nécessaires, sans doute, j'en prend ma part. Je ne m'étudie pas à exercer mes connaissances sur l'espèce humaine, en m'exceptant seulement : plus imparfaite que personne, je connais mes défauts, je leur fais une guerre ouverte ; et en m'efforçant de les détruire, je les livre à la censure publique. Je n'ai point de vices à cacher, je n'ai que des défauts à montrer. Eh ! quel est celui ou celle qui pourra me refuser l'indulgence que méritent de pareils aveux ?

Tous les hommes ne voient pas de même ; les uns approuvent ce que les autres blâment, mais en général la vérité l'emporte ; et l'homme qui se montre tel qu'il est, quand il n'a rien d'informe ni de vicieux, est toujours vu sous un aspect favorable. Je serai peut-être un jour considérée sans aucune prévention de ma part, avec l'estime que l'on accorde aux ouvrages qui sortent des mains de la nature. Je peux me dire une de ses rares productions ; tout me vient d'elle ; je n'ai eu d'autre précepteur : et toutes mes réflexions philosophiques ne peuvent détruire les imperfections trop enracinées de son éducation. Aussi m'a-t-on fait souvent le reproche de ne savoir pas m'étudier dans la société ; que cet abandon de mon caractère me fait voir défavorablement : que cependant je pouvais être de ces femmes adorables, si je me négligeais moins.

J'ai répondu souvent à ce verbiage, que je ne me néglige pas plus que je ne m'étudie ; que je ne connais qu'un genre de contrainte, les faiblesses de la nature que l'humanité ne peut vaincre qu'à force d'efforts : et celle en qui l'amour-propre dompte les passions, peut se dire, à juste titre, la femme forte.

Sur l'ingratitude et la cruauté
de la famille des Flaucourt envers la sienne,
dont les sieurs de Flaucourt
ont reçu tant de services

Il est affreux de se plaindre de ceux qu'on aime, qu'on chérit et qu'on respecte. Je voudrais pouvoir étouffer dans mon âme, un ressentiment, hélas ! trop légitime ; mais l'excès de la cruauté, du fanatisme et de l'hypocrisie, l'emporte ; et quoique je sois condamnée à un éternel silence, par décence pour moi seule, les souffrances d'une mère infirme, son âge[1], l'affreuse indigence où elle est plongée, ne me font plus connaître de frein à l'égard des personnes que la nature me force d'inculper.

Le seul que je pourrais épargner, par le mépris que j'en dois faire, est ce vil et rampant La Fontaine, dont les conseils aussi pernicieux que funestes, ont empoisonné le cœur d'un jeune homme, fait pour voler à la gloire. Ce jeune homme hélas ! est mon frère, devenu marquis de Flaucourt, depuis la mort de mon trop malheureux père[2].

1. Anne Olympe Mouisset était née en 1714.
2. Ce jeune homme, demi-frère d'Olympe, est Jean Georges Louis Marie Lefranc, né à Paris le 8 décembre 1760. Son père, le marquis Lefranc de Pompignan, était mort le 1er novembre 1784.

Je dois rougir sans doute de l'erreur qui me donna le jour ; mais la nature qui ne connaît ni loi, ni préjugé, ne perd jamais ses droits dans une âme sensible. À peine le hasard me fit rencontrer ce frère dans le monde, que le vil séducteur qui s'est emparé de lui depuis quelques années, qui a subjugué ses goûts, sa raison, me l'a enlevé. Je n'espérais qu'en lui, et je n'avais point à craindre qu'il eût étouffé dans son cœur le cri de la nature, et les liens du sang. Je le laisse pour m'occuper de personnages plus essentiels, n'étant pas seul l'objet de mon mémoire. Les années et les bons principes qu'il a reçus, peuvent me le ramener, et me donner des preuves de son amitié fraternelle.

Que la sentence des dieux et des hommes me juge dans la position affreuse où je me trouve par l'injustice de ceux qui ont excité en moi la plainte, l'indignation et la révolte. Tous les faits que je vais avancer sont autant de vérités authentiques. C'est une tache imprimée sur la mémoire de M. le marquis de Flaucourt, et que ceux qui auraient dû l'effacer n'ont fait qu'étendre, en augmentant ses torts.

Mon père m'a oubliée au berceau ; voilà mon sort, et j'ai encore à gémir sur celui de ma mère. J'avais tout pouvoir de réclamer les droits de la nature pour mon existence physique, mais j'en faisais le sacrifice, comme on le verra dans ma

---

Pour les renseignements concernant Olympe de Gouges et Lefranc de Pompignan, voir surtout O. Blanc, *Olympe de Gouges*, Paris, Syros, 1981 ; T. E. D. Braun, *Un ennemi de Voltaire. Lefranc de Pompignan*, Paris, Minard, 1972.

correspondance avec la famille de Flaucourt, en faveur de celle qui m'a donné le jour. Les liaisons de sang et d'intérêt qui existaient entre cette famille et la mienne, étaient bien faites pour engager ces âmes dévotes à répandre leurs bienfaits sur la malheureuse filleule de M. le marquis de Flaucourt[1], qui éprouve, dans sa vieillesse, la plus affreuse misère. Jusqu'à présent, je ne l'ai point abandonnée, mais mes moyens sont devenus si faibles, que je me vois obligée de prendre le parti de la retraite. Ce n'est pas mon sort qui m'afflige, mais c'est la cruelle situation de ma pauvre mère. Je sens mon cœur déchiré à ce tableau. Que n'emploierais-je point pour lui procurer les secours qui lui sont nécessaires dans sa vieillesse ? Combien le poids de la misère doit lui paraître dur et insupportable, après avoir été élevée dans la fortune[2] ! et quelle amertume pour elle de souffrir dans sa triste et cruelle situation, sous les yeux de cette ingrate famille !

Tout ce que j'avance est pour faire connaître que nous ne sommes pas étrangers à la famille de Flaucourt, et que la mienne n'était pas de la lie du peuple, pour retirer aucun tribut des secours qu'elle a donnés à la maison de Flaucourt. Mais quand la mienne aurait été de pauvres mercenaires, la maison de Flaucourt ne serait-elle pas redevable d'un salaire que la reconnaissance aurait dû, de

---

1. Anne Olympe Mouisset, baptisée le 18 février 1714, avait en effet pour parrain Jean-Jacques Lefranc, alors âgé de cinq ans.

2. Elle venait en effet d'une bourgeoisie aisée, enrichie dans l'industrie drapière.

leur part, faire répandre avec abondance sur ma malheureuse mère, puisque la nécessité la force à réclamer leurs bienfaits, qui, en les obtenant, ne seraient qu'un acquit de leur part. Leur seul prétexte, pour ne pas la secourir, serait un beau motif qui déciderait tous ceux qui ont cette façon de penser, propres à être regardés véritablement pour des hommes. Je n'attends pas de libéralités de leur part, je n'exigeais pour ma mère qu'une pension alimentaire de sept à huit cents livres. Leur ingratitude atroce, et leur dureté inexprimable, ont poussé ma discrétion au-delà de toute réserve : et si je suis fautive en les démasquant, ma faute est bien excusable. Quiconque ne serait pas touché de mon récit, n'aurait pas reçu de la nature un cœur sensible.

Il ne peut y avoir que des âmes féroces, endurcies par le fanatisme, comme Mme la marquise de Flaucourt[1], et un prélat des plus éclairés[2], mais aussi faible qu'elle, qui se font un acte de religion de la plus grande cruauté. Hélas ! quelle est cette religion ? Ou j'en ai mal conçu le dogme, ou il semble qu'elle en enseigne la clémence et la bienfaisance. Ce digne prélat, qui tient le sacerdoce dans ses mains, et cette respectable veuve tous deux près du lit de mort de l'auteur de mes jours, lui prêchaient la bienfaisance, et le repentir de ses fautes. C'est pour les racheter, lui disaient-ils, qu'ils

1. Marie-Antoinette de Caulaincourt, veuve d'un fermier général, avait épousé Lefranc de Pompignan le 21 octobre 1757.
2. Le frère cadet du marquis, Jean Georges Lefranc de Pompignan (1715-1790), évêque du Puy, ensuite archevêque de Vienne et membre de l'Assemblée constituante.

l'engagèrent à faire deux mille écus de rentes via-
gères à ses gens, et réversibles sur leurs enfants ; et
celle qui avait des droits plus légitimes, droits que
la religion même impose, n'a pas reçu la moindre
marque d'humanité.

Ce pieux prélat, ce frère de lait de cette infortunée[1], loin de presser et de déterminer sa belle-sœur
à remettre sous les yeux de son frère mourant, ce
qu'il devait faire pour une femme qui leur fut si
chère à tous deux, eurent la barbarie de lui fermer la paupière, et le laissèrent descendre dans la
tombe, enveloppé dans la plus cruelle erreur ; et
voilà comme ce grand homme finit sa carrière, dans
une indifférence où ils le tenaient sans doute depuis
longtemps.

Quoiqu'il fût insensible envers moi, depuis que la
dévotion s'était emparée de lui, je ne le respectais
pas moins. Il me chérissait dans mon enfance. Je
n'oublierai jamais ses tendres caresses : et toutes les
fois qu'un souvenir cher le rappelle à mon esprit,
je verse des larmes, j'en verse sur sa perte, et ces
larmes sont sincères ; ce sont celles de la nature,
pourrait-on les condamner ? J'ai toujours respecté
sa piété ; et de crainte de l'alarmer, je sacrifiais mes
intérêts à son bonheur.

Quelques personnes de la Cour, célèbres par leur
nom ainsi que par leur esprit, voulurent me persuader que la conduite de M. le marquis de Flaucourt
à mon égard, était tout à fait répréhensible, et qu'il

---

1. La mère d'Anne Olympe Mouisset, Anne Marty, fut en effet
la nourrice du futur évêque de Pompignan, devenu de ce fait frère
de lait d'Anne Olympe.

fallait charger son antagoniste[1] de son châtiment ; on voulut même me recommander auprès de lui, et me procurer les moyens pour faire le voyage. Ma réponse est connue, et la voici en peu de mots. Je suis venue sous la foi du mariage : si le marquis de Flaucourt est mon père, je ne dois pas obtenir une existence et ses bienfaits par la voie de son ennemi ; s'il n'est pas mon père, je n'ai aucun droit sur lui. Quoique tout atteste que je sois sa fille, je préférerais d'en douter, plutôt que de l'affliger un instant.

Ces mêmes personnes qui me sollicitaient, frappées d'indignation de sa conduite à mon égard, ne purent s'empêcher de me plaindre, et de m'applaudir ; elles sont toutes existantes, et à même de me rendre cette justice. Que m'importerait une célébrité qui aurait fait le malheur et le tourment de celui pour qui j'aurais sacrifié mes jours pour rendre les siens heureux et tranquilles ; mais puisque actuellement la mort me l'a enlevé sans les avoir troublés, je n'ai plus de frein pour ceux qui lui ont survécu, qui ont aggravé ses torts, et comblé mes malheurs.

Quel triomphe pour son adversaire si je l'avais intéressé à mon sort, lui qui n'avait jamais pu porter atteinte, ni à sa probité, ni à sa délicatesse ; c'étaient des saillies et des épigrammes qui faisaient seulement briller son esprit sans déshonorer celui qui était l'objet de ses railleries. Ses moyens étaient tous

---

1. Voltaire qui, après avoir eu de bons rapports avec Lefranc, l'accabla de ses sarcasmes et dirigea contre lui les satires du *Pauvre diable*, du *Russe à Paris* et de *La Vanité*.

épuisés, et quoique ceux que j'aurais pu lui fournir, eussent pu tenter toute autre que moi, mon amour et mon respect me firent préférer ma bizarrerie à une vaine célébrité.

La nature ne perd point ses droits, mais elle se fait peu entendre à ceux que j'accuse. Oui, je le déclare hautement, une famille riche qui prodigue ses largesses indistinctement et qui n'en prive que celle qui y avait le plus de droits. Sourds au cri du sang et de l'humanité, ils croient gagner le ciel par une piété cruelle ; ils me reprochent mon existence qu'ils connaissaient, ainsi que toute la province, avant que je me connusse moi-même.

Dans mon enfance toute la famille me chérissait, et je ne connaissais pas alors les lois ni le préjugé. Je fus élevée en les chérissant, et je les chérirais de même, s'ils n'étaient durs qu'envers moi. Qu'ils m'accablent de leur animosité, qu'ils me rendent victime de l'erreur du marquis de Flaucourt et de celle de ma mère, mais qu'ils ne l'abandonnent pas : que le prélat, son frère de lait, reconnaisse la véritable bienfaisance et répande sur elle ce qu'il devait à celle qui lui donna le sein.

Pour Mme la marquise, elle est étrangère à mes demandes ; cependant elle s'est imposé des devoirs par les lois de la religion. Elle a promis à son époux mourant d'acquitter les dettes qui chargeaient sa conscience ; celle qu'il contracta envers sa filleule était la première que cette respectable veuve devait acquitter sans réfléchir sur le passé. À tout péché miséricorde. Voilà ce que Dieu nous ordonne, et ce que les justes suivent. À qui peut-on accorder sa confiance dans la société, quand ceux qui

enseignent la religion et la clémence nous abandonnent. Il n'y a donc plus de probité sur la terre ?
Dans quelle classe, dans quel état, dans quelle
société d'hommes peut-on désormais trouver cette
sensible piété, cette tendre humanité ? On s'écrie
tous les jours, [...ᵃ].

LETTRE I

De l'auteur à Mme de Valmont

Votre *Mémoire*, et ce que vous m'avez révélé,
Madame, sur la famille du marquis de Flaucourt,
m'a fourni un sujet théâtral que j'ai traité, d'après
votre consentement. Je ne doute pas que ce sujet
ne soit fort intéressant pour le public ; mais il
le deviendrait davantage, si vous vouliez tracer
vous-même les événements qui ont causé vos
malheurs. Ce tableau pourra faire disparaître les
défauts qui se sont glissés dans mon ouvrage. Il
faut vous prévenir, Madame, que le comte de ***,
doit vous solliciter vivement, pour que vous m'ac-
cordiez cette grâce ; votre secret est le mien, et
vous devez être bien sûre que je ne vous trahirai
point.

En mettant au jour les sujets d'indignation qu'une
famille ingrate a fait naître dans votre âme, vous
trouverez un soulagement salutaire aux maux qu'elle
vous a causés ; et le sentiment public suffira alors
à votre vengeance.

a. Quatre lignes en pointillés.

Pourquoi vous y refuseriez-vous, Madame ? quels ménagements devez-vous à des personnes qui ont méconnu la voix de la nature et du sang à votre égard ? Le temps presse : le premier volume de mes *Œuvres* est déjà livré à l'impression, et je voudrais y joindre votre roman, persuadée que le public m'en tiendrait compte, je ne vous demande qu'une simple esquisse des faits ; je vous dispense de toutes réflexions. Quand on s'est exposé à donner une pièce dramatique, faite en vingt-quatre heures, j'imagine qu'on peut fort bien lui offrir un récit simple, dépouillé de tout ornement, mais tracé avec les couleurs de la vérité. Veuillez donc vous occuper d'un objet qui vous intéresse aussi vivement que moi, et vous pouvez compter sur toute ma reconnaissance.

Je suis, etc.

LETTRE II
Mme de Valmont au comte de ***

Monsieur

Je ne suis point étonnée de la vivacité de l'auteur ; mais vous, homme prudent, approuverez-vous un empressement qui n'a d'autre motif que sa passion d'écrire et de faire imprimer ? pourriez-vous, Monsieur le comte, m'engager à une entreprise aussi folle ? S'il ne s'agissait que de quelques faits, ne les trouverait-elle pas dans le *Mémoire* que je lui ai permis d'imprimer. Les détails de ma vie sont trop remplis d'événements, pour que je puisse les tracer dans un si court espace.

Dépouillés des accessoires, ils n'inspireraient aucun intérêt, et déroberaient au lecteur tout ce qu'il y a de plus piquant. Cependant, je ne veux point l'affliger : la comédie que j'ai jouée, il y a quatre ans, avec mon frère le marquis de Flaucourt, peut remplir son objet et le mien.

En exposant aux yeux du public ce genre de correspondance, on verra que l'amitié fraternelle me suggéra un moyen peu commun, pour ramener à son devoir un jeune homme que les passions et les conseils pernicieux du perfide La Fontaine avaient égaré. Voilà tout ce que je peux faire pour l'auteur qui trouve le moyen de me venger d'une famille ingrate, pour laquelle je ne suis jamais sortie des bornes de l'estime et du respect ; mais aujourd'hui que toute l'affection que je lui portais est éteinte, je romps le silence que j'ai gardé trop longtemps, en considération de la célébrité de celui qui m'a donné le jour, et dont je respecte la cendre.

Je vous prie, Monsieur le comte, de voir l'auteur, et s'il est satisfait de mon offre, je lui ferai parvenir sur-le-champ la relation de l'aventure du bal, ainsi que les faits l'ont amenée, avec les lettres de tous les autres personnages, trop affligeantes pour cadrer avec cet amusement.

Je suis, etc.

LETTRE III

Du comte à Mme de Valmont

Votre lettre, Madame, a plus fait sur l'esprit de l'auteur, que tout ce que j'aurais pu lui dire ; et loin de se fâcher des vérités qu'elle contient, elle en est enchantée : vous en jugerez par sa réponse.

Vous me demandez des conseils sur la prière de notre femme auteur ; ne vous attendez pas, Madame, à me trouver plus raisonnable sur cet objet. Curieux comme une femme, et les aimant plus que moi-même, jugez, Madame, combien je dois être intéressé à connaître les événements d'une personne sensible. Vous êtes un juge trop sévère, et si, d'après votre système, les personnes de votre sexe deviennent conséquentes et profondes dans leurs ouvrages, que deviendrons-nous, nous autres hommes, aujourd'hui si superficiels et si légers ? Adieu la supériorité dont nous étions si orgueilleux. Les dames nous feront la loi, et la partie la plus faible deviendra la plus forte. Cette révolution serait dangereuse. Ainsi je dois désirer que les dames ne prennent point le bonnet de docteur, mais qu'elles conservent leur frivolité, même dans leurs écrits. Tant qu'elles n'auront pas le sens commun, elles seront adorables. Nos savantes de Molière sont des modèles de ridicule. Celles qui suivent aujourd'hui leurs traces, sont les fléaux des sociétés, et semblent, par le travestissement de leur esprit, contribuer à la désunion de la nature entière.

Les femmes peuvent écrire, mais il leur est défendu, pour le bonheur du monde, de s'y livrer avec prétention. D'après ces principes, vous pouvez hasarder de donner un extrait de votre vie, qui ne pourra qu'être accueilli, et ce sera le cas de dire : Qu'importe le temps, si le récit est intéressant, comme je n'en doute pas. Secondez donc, Madame, les vœux de l'auteur, ne dussiez-vous donner que l'époque de votre rencontre avec le marquis de Flaucourt. Pour moi personnellement, je vous saurai gré de cette complaisance.

J'ai l'honneur, etc.

LETTRE IV

*De l'auteur au comte de****

Monsieur le comte

Mme de Valmont, qui ne me flatte pas, et qui me dit, avec franchise, ce que je me suis dit cent fois à moi-même, me plaît infiniment ; et si mon amour-propre ne me permet pas de convenir que je suis décidément folle, ma raison me force d'approuver ceux qui ne me croient pas bien raisonnable. Je ne prétends pas gêner les opinions d'autrui ; je sais que je ne compose qu'avec pétulance, que je déteste de revenir sur mes idées, et que bonnes ou mauvaises, je voudrais qu'on les jugeât, en rendant justice au fond, s'il renferme quelque mérite : par là, je serais plus satisfaite d'un faible triomphe que d'une plus grande gloire, s'il fallait l'acheter par un travail trop pénible, ou la devoir aux efforts d'un tiers plus éclairé que moi, qui dénaturerait mes ouvrages au point que je n'oserais me les approprier. Ainsi, je ne puis écrire que d'après moi, parce qu'il serait trop facile de reconnaître tout ce qui n'est pas moi. Ceux qui n'écrivent que naturellement, varient souvent leur dicton ; éloquents dans certains endroits, faibles dans d'autres ; mais les vrais connaisseurs ne se trompent jamais sur ce qui part de la même source. Voilà, Monsieur le comte, ce que je pense des personnes qui jugent aussi sainement que vous.

Je me contente de l'offre de Mme de Valmont, quoique, à beaucoup près elle ne soit pas, à mes yeux, si intéressante que celle que vous désiriez. Il est vrai qu'on ne peut exiger une relation suivie en si peu de mots. Mais comme il est indispensable pour moi de me rappeler dans l'esprit du public, et de réclamer l'indulgence qu'il m'a déjà accordée, en faveur de mes pièces imprimées, et surprise agréablement par le tour que la Comédie-Française m'a donné en devançant le mien. Il m'a fallu changer toute ma marche, et à la place du drame que j'allais faire imprimer, j'ai été obligée de prendre un de mes manuscrits, au hasard, ou pour mieux dire, à mon choix, et peut-être sera-ce ma plus mauvaise pièce que je livre au public. Il n'y a que le roman de Mme de Valmont qui pourra balancer son opinion. Du moins c'est là mon espérance.

Bonjour Monsieur le comte, préparez-moi de bons travailleurs, car je vous réponds que j'en ai besoin.

Je suis, etc.

LETTRE V

De Mme de Valmont à l'auteur

Il faut, Madame, faire tout ce que vous désirez. M. le comte vient de m'y déterminer ; aussi ne balancerai-je plus à vous envoyer l'extrait bien précis de ma vie.

Ma naissance est si bizarre que ce n'est qu'en tremblant que je la mets sous les yeux du public ; et ce ne sera que dans un temps plus heureux, plus tranquille pour moi, et à l'abri de tout soupçon, que je pourrai, avec courage, raconter au genre humain les événements qui ont travaillé le tissu de ma vie. Des aveux sincères et dépouillés d'imposture, m'obtiendront, sans doute, une estime qu'on refusera peut-être à mes faibles écrits. Si on n'a pas encore vu une ignorante devenir auteur, une femme vraie et sincère est un être aussi rare, et c'est par une telle singularité que, comme vous, Madame, je puis me distinguer. Il y a tant d'analogies entre vous et moi, que je ne doute pas qu'on ne nous confonde ensemble. Un jour viendra où cette énigme sera expliquée par vous, ou par moi.

Je sors d'une famille riche et estimable, dont les événements ont changé la fortune. Ma mère était fille d'un avocat, très lié avec le grand-père du marquis de Flaucourt, à qui le Ciel avait accordé plusieurs enfants. L'éducation du marquis, l'aîné de ces enfants, fut confiée à mon grand-père[1] qui s'en

---

1. Jacques Mouisset était drapier, mais aussi « avocat en la bourse de Montauban », c'est-à-dire agréé auprès des tribunaux de commerce. Il s'occupa de Lefranc, l'aîné de sept enfants.

chargea par pure amitié. Le cadet, qui existe encore et que son mérite a élevé jusqu'à l'archiépiscopat, fut allaité par ma grand-mère : il devint par là le frère de lait de celle qui m'a donné le jour et qui fut tenue sur les fonts baptismaux par le marquis son frère aîné.

Tout ceci se fit de part et d'autre au nom de l'amitié qui régnait depuis longtemps entre ces deux familles : ma mère devint donc chère à tous les Flaucourt. Le marquis, son parrain, ne la vit pas avec indifférence, l'âge et le goût formèrent entre eux une douce sympathie dont les progrès furent dangereux. Le marquis, emporté par l'amour le plus violent, avait projeté d'enlever ma mère et de s'unir avec elle dans un climat étranger.

Les parents du marquis et de ma mère, s'étant aperçus de cette passion réciproque, trouvèrent bientôt le moyen de les éloigner ; mais l'amour ne fait-il pas vaincre tous les obstacles ? Le temps ni l'éloignement ne purent faire changer leurs sentiments. Ma mère cependant fut mariée[1]. Le marquis fut envoyé à Paris, où il débuta dans la carrière dramatique par une tragédie qui rendra son nom immortel[2], ainsi que ses odes, ses voyages et plusieurs autres ouvrages non moins recommandables. C'est dans sa grande jeunesse qu'il développa tant de talents ; mais le fanatisme vint l'arrêter au milieu de sa carrière, et fit éclipser la moitié de sa gloire. Son célèbre antagoniste, jaloux de ses talents, essaya de les obscurcir par la voie du ridicule ; mais il ne

1. Anne Olympe épousa Pierre Gouze le 31 décembre 1737.
2. La tragédie est *Didon*, qui rendit en effet Lefranc célèbre.

put y parvenir et il fut lui-même forcé de lui accorder un mérite distingué.

En effet, il n'eut peut-être qu'un tort réel dans sa vie ; celui d'avoir été insensible et sourd aux cris de la nature. Il revint dans sa province, où il trouva celle qu'il avait aimée, et dont il était encore épris, mariée et mère de plusieurs enfants dont le père était absent.

De quelles expressions puis-je me servir, pour ne pas blesser la pudeur, le préjugé, et les lois, en accusant la vérité ? Je vins au monde le jour même de son retour, et toute la ville pensa que ma naissance était l'effet des amours du marquis. Bien loin de s'en plaindre, le nouvel Amphitryon[1] prit la chose en homme de cour. Le marquis poussa la tendresse pour moi jusqu'à renoncer aux bienséances, en m'appelant publiquement sa fille. En effet, il eût été difficile de déguiser la vérité : une ressemblance frappante était une preuve trop évidente. Il y aurait de la vanité à moi de convenir que je ne lui étais pas étrangère, même du côté du moral ; mais on m'a fait cent fois cette remarque.

Il employa tous les moyens pour obtenir de ma mère qu'elle me livrât à ses soins paternels ; sans doute mon éducation eût été mieux cultivée ; mais elle rejeta toujours cette proposition ; ce qui occasionna entre eux une altercation dont je fus la victime. Je n'avais que six ans quand le marquis partit pour ses terres, où la veuve d'un financier vint

---

1. Amphitryon était l'époux de la belle Alcmène ; Zeus prit ses traits pour tromper la fidélité d'Alcmène, qu'il rendit mère d'Hercule.

l'épouser. Ce fut dans les douceurs de cet hymen que mon père m'oublia et ne s'occupa que du fils dont vous me demandez l'histoire. Je ne fais aucune mention des événements de ma vie depuis l'âge de six ans jusqu'à trente, époque où j'ai rencontré ce jeune frère âgé de vingt-deux ans[1].

Ayant appris pendant sa jeunesse qu'il avait une sœur, il fit plusieurs recherches pour la rencontrer. Voici comment il me découvrit.

Se trouvant un jour dans une maison, où l'on reçoit bonne et mauvaise compagnie, un homme de ma connaissance, lui adressa la parole sans le connaître et lui demanda son nom. Cette question étonna le marquis, qui à son tour lui en demanda le motif. « C'est, dit-il, parce que vous avez une ressemblance frappante avec Mme de Valmont. » À ce nom seul, le marquis l'embrassa, le regarda comme un dieu tutélaire, et le supplia de le conduire chez moi : ce qu'il fit. Lorsqu'on m'annonça cette personne, et que je la vis accompagnée d'un jeune homme, une émotion des plus extraordinaires m'agita ; les larmes coulèrent de mes yeux ; je m'écriai : « C'est mon frère ; c'est le fils du marquis de Flaucourt » ; et ce fut dans les plus tendres embrassements que nous confirmâmes les liens du sang qui nous unissaient.

Il ne s'écoulait aucun jour que je n'eusse la satisfaction de le voir deux ou trois fois. Bientôt il me

1. Il y a un certain flou dans les dates. Si Olympe avait trente ans, nous sommes en 1778 ; si le « jeune frère » a vingt-deux ans, nous sommes en 1782. Mais Olympe avait pris l'habitude de se rajeunir un peu.

fit la confidence de ses plus secrets sentiments, et j'appris qu'un monstre, un vil agent, avait subjugué sa raison. Je voulus l'éloigner de ce fourbe dangereux ; mais, moi-même, bientôt je lui parus suspecte. Il sembla même se repentir de toutes les confidences qu'il m'avait faites. Cependant comme l'amitié et la nature triomphaient encore de lui, il me faisait toujours part de ses aventures qu'il croyait du bon ton, telles que celle du bal de l'Opéra, qui faillit à lui faire tourner la tête.

Une de ses cousines, femme d'esprit, et qui désirait son bonheur autant que moi, chercha à l'intriguer sous le masque, et le rendit amoureux au point de le faire renoncer à une petite créature dont il était fou, et dont je rougirais de mettre au jour les trames ourdies d'accord avec le perfide La Fontaine. Le carnaval finit, et le courage de sa cousine n'alla pas plus loin. Elle lui avait permis de lui écrire ; je fus instruite de tout, je me chargeai de cette correspondance, et vous allez voir, par la manière dont je la conduisis, si je sus la suivre, et quel parti mon amitié en tira pour le bonheur de mon frère.

Je suis, etc.

LETTRE I

De Mme de Valmont,
écrite au marquis de Flaucourt,
sous le nom de l'Inconnue

Qu'il en coûte à un cœur sensible de résister à son penchant ! Plus je réfléchis sur le hasard qui forme notre liaison, plus il me semble qu'il y a de l'imprudence à y mettre une suite.

Il est vrai que je vous en fis la promesse ; mais peut-on compter sur les serments d'amour. Ceux qui cèdent à tous les transports de cette passion, ne violent-ils pas, à chaque instant, leurs engagements ? Un être plus délicat, et qui aime, pour la première fois, tremble de se livrer à ses sentiments : je ne crains pas de manquer de foi à celui à qui j'aurais donné mon cœur ; mais je crains sa légèreté, je ne lui ferai ce don qu'après avoir éprouvé la solidité de ses sentiments.

Pourriez-vous blâmer ma défiance, vous, qui ne me connaissez que sous le masque ? Quand vous me verrez à visage découvert, m'assurerez-vous de m'aimer telle que je suis ? S'il était vrai ; dieux ! quelle serait ma félicité ! Alors je pourrais être persuadée que ce n'est point une simple fantaisie, mais une sympathie mutuelle, fondée sur la délicatesse et sur l'estime de deux âmes bien nées. Voilà, Monsieur, la façon de penser du petit masque ; elle vous paraîtra peut-être un peu sévère, et bien différente de la folie qu'il avait au bal. Le style froid, qui règne dans sa lettre, convient peu aux transports de deux jeunes amants, mais il ne vous voit pas. Cependant il est en votre pouvoir d'obtenir une entrevue, qui n'aura lieu qu'après le sacrifice que vous lui avez offert. Il est au-dessous de lui, et s'il l'exige, c'est pour vous retirer de l'abîme où il vous voit plongé.

Adieu : votre réponse réglera sa conduite, et surtout point de questions au porteur chargé de la correspondance ; c'est en vain que vous lui en feriez ; vous ne seriez pas plus avancé, et vous perdriez beaucoup dans la confiance que vous avez inspirée à celle qui veut être encore inconnue.

LETTRE II

Du marquis de Flaucourt à Mme de Valmont,
crue l'Inconnue du bal

Est-ce une erreur ? est-ce une vérité ? Je suis dans une émotion incroyable. L'espérance me rend fou de plaisir, et la crainte me navre de douleur. Serait-il possible qu'une personne aimable m'aimât ? Le bonheur ne serait-il plus pour moi un être imaginaire ? J'attends l'événement pour me tirer d'une incertitude aussi mêlée de joie et de tristesse. S'il est tel que je le désire, je n'ai pas assez d'une âme pour sentir ma félicité : s'il n'est pas comme je le souhaite, je rentrerai dans le néant.

J'étais malade avant de recevoir votre lettre ; je m'amusais à causer avec vous, sans espérer que vous pensiez à moi. Votre épître m'a guéri, et je ne suis plus que fou : la main me tremble, ma tête se trouble, mon cœur est dans une agitation inconcevable.

Je vais tout préparer pour exécuter vos ordres ; et je vous chargerai même du congé de la personne en question. Vous ne le lui ferez passer qu'après avoir vu s'il vous convient. Heureux ! si je suis consolé de toutes mes inquiétudes, par un dénouement encore bien douteux.

Je finis ; car je ne sais plus ce que je dis, et ma raison me défend d'écrire davantage, jusqu'à ce que mon cœur soit totalement rassuré.

J'ai l'honneur d'être, etc.

LETTRE III

Du marquis de Flaucourt à l'Inconnue

La voilà, petit masque, cette lettre que tu exiges de moi pour preuve de ma conversion. Seras-tu encore incrédule, et douteras-tu de la reconnaissance et des sentiments de celui qui regarde même comme un bien léger sacrifice, le prix que tu mets au bonheur que tu lui laisses espérer ?

Non, cher petit masque, ce n'en est pas un ; je le devais à moi-même, avant de savoir que je te le devais ; je rougirais de balancer entre un goût déshonorant pour moi, et un attachement pur et tendre, qui manque à mon cœur, et qui le remplira tout entier. Oui, petit masque, tous mes vœux sont de te plaire, et ma félicité est de t'aimer. Je m'applaudis d'un sentiment qui me fait connaître les véritables jouissances. Tu ne devrais pas cependant t'obstiner à garder l'incognito.

Adieu, cher petit masque, adieu. Rapproche

bientôt de toi celui qui pleure d'en être éloigné, et que ce soir, au sein des plaisirs, il reconnaisse celle qui le rend le plus heureux des hommes. Adieu, encore une fois, ma plume ne saurait s'arrêter ; elle sait qu'elle est conduite par un cœur qui est tout à toi.

LETTRE IV

Du marquis de Flaucourt,
à son ancienne maîtresse

Mademoiselle, il est temps de vous apprendre une mauvaise nouvelle, que j'ai éloignée le plus qu'il m'a été possible. Mes parents ont découvert notre liaison : ils m'engagent à la rompre, et je cède au pouvoir ainsi qu'au respect que je leur dois.

J'aime mieux vous prévenir du parti qu'il vous reste à prendre, que de vous voir exposée au danger de leur autorité.

J'ai chargé La Fontaine de vous remettre les fonds nécessaires pour votre départ. Quoique j'aie à me plaindre de vous, ce n'est pas dans cette circonstance que je chercherai à vous accabler. Retournez dans votre patrie, et ne me forcez pas à prendre moi-même un parti violent. *Mon bonheur* dépend de votre éloignement. Vous remettrez toutes mes lettres à La Fontaine, afin qu'il ne reste aucune trace de notre intimité. Cette conduite de votre part apaisera mes parents, et je vous tiendrai compte de votre complaisance par mes bienfaits. Je vous exhorte, Mademoiselle, à suivre l'avis prudent que je vous donne. Si vous résistez, je ne veux plus entendre parler de vous.

Je suis, etc.

LETTRE V

De Mme de Valmont, sous le nom de l'Inconnue, au marquis de Flaucourt

Je suis satisfaite de votre conduite. Votre lettre est sage, quoiqu'elle m'ait paru un peu trop dure. Le prétexte de vos parents est fort bien trouvé ; mais pour ne plus aimer, faut-il être cruel ? Je n'embrasserai pas cependant la défense de cette créature, je la hais trop pour la justifier : elle vous a trompé indignement, et je suis, à ce sujet, plus instruite que vous. On m'a assuré encore, que vous aviez un homme dans votre confidence, qui vous trompait ignominieusement, et qui même avait un commerce avec cette fille dont vous étiez la dupe ; sans doute vous vous en déferez comme de la demoiselle de Metz.

Ne parlons plus que de ce qui nous intéresse. Vous m'aimez, dites-vous, je me plais à le croire, mais je ne suis pas encore rendue. Je ne déposerai point sur le papier tout ce que je sens pour vous. Qu'il vous suffise de savoir que je souffre davantage, retenue par la crainte, je consulte ma raison, et je m'écrie...

Sans m'avoir vue, peut-il éprouver un amour durable ? Non. Le bon sens me dit, cela est impossible, et tu t'abuses ; c'est un jeune homme qui a la tête exaltée, des sentiments romanesques. Il en promettra autant au premier objet aimable qui frappera sa vue, puisque tu l'as intéressé sans qu'il t'ait vue. N'importe, je réplique, taisez-vous, ma raison. En dépit de vous, je suivrai mon penchant ; mais, en le suivant, je me tiendrai sur mes gardes, oui, ma tête défendra mon cœur, et j'éloignerai ma défaite. Si celui que j'aime se rend digne de mon amour, avec quels transports je volerai dans ses bras. Si je suis assez heureuse pour le fixer, s'il observe le mystère, et s'il ne me compromet pas, quelle félicité serait plus parfaite que la mienne !

Mais quelle est ma chimère ? Vous me trompez ; j'ai appris que vous aviez une nouvelle intrigue, à laquelle je n'ai pas ajouté foi d'abord ; mais, dites-moi, qui est cette femme chez laquelle vous allez tous les jours ? On ne m'en a pas dit de mal, mais votre assiduité me paraît bien suspecte ; elle se nomme Mme de Valmont : voyez si je suis bien instruite. Quelle est cette femme ? quel rapport avez-vous avec elle ? Instruisez-moi, de grâce, des motifs qui vous engagent à la voir.

J'ose me flatter que vous ne me refuserez pas cet aveu, d'où dépend mon bonheur. Peut-être, n'est-ce de ma part qu'une simple curiosité ; peut-être aussi me trompai-je sur mes propres sentiments. Enfin, est-ce jalousie ? est-ce la générosité d'avoir voulu vous détourner d'une liaison dangereuse ?... Puis-je me connaître ? faut-il vous croire ? faut-il céder ?

C'est d'après ce que je vous demande, que je jugerai mieux de mon état.

Adieu, vous que j'aime pour mon malheur.

LETTRE VI

Du marquis de Flaucourt à l'Inconnue

Que tu es aimable et méchante tout à la fois, petit masque ! que ta lettre me console et m'afflige en même temps ! Mes soupçons et mes craintes n'étaient donc que trop fondés, et malgré toutes les protestations de l'amour le plus tendre, il est donc vrai que tu étais encore indécise, si tu n'abandonnerais pas celui que tu promettais de rendre si heureux ?... avais-je donc tort de paraître incrédule à tout ce que tu me disais ; et, au milieu de mon bonheur, n'avais-je pas raison de flotter dans une incertitude que tu tâchais cependant de fixer suivant mes désirs.

Que les dernières phrases de ta lettre m'ont attristé ! j'ai tremblé en la lisant, et j'ai frémi du danger que j'ai couru d'être délaissé si cruellement par celle de qui dépend à présent ma félicité. Il ne m'a pas fallu moins que la preuve entière que ta première épître, présente à mes yeux, pour dissiper mes alarmes. Je serais au comble de la joie, si tu n'ajoutais encore des choses bien méchantes : tu ne sais, dis-tu, petit masque, si c'est la curiosité ou le penchant que tu suis. Est-ce là ce que tu m'as dit pendant plusieurs heures passées ensemble ? est-ce là le résultat de ce que tu as juré à l'amant le plus tendre ? cela ressemble-t-il au langage si affectueux qui a pénétré mon cœur ? Et quand on a répété mille fois à quelqu'un qu'on l'aime et qu'on n'aimera que lui, n'est-ce pas être parjure que de lui laisser croire ensuite qu'on n'a eu qu'un simple sentiment de curiosité ? méchant petit masque, si tu pensais à ce que tu m'as dit pendant deux nuits entières, t'en coûterait-il davantage de me l'écrire, et n'aurais-tu pas agi de même en suivant le premier mouvement de ton âme. Ah ! petit masque, que cette vicissitude m'afflige ! moi, qui croyais être aimé ; moi, qui me livrais à toi dans toute la franchise de mon cœur ; moi, qui m'applaudissais d'un événement qui semblait me garantir le bonheur, je n'y vois plus qu'un beau songe qui a bien encore quelque apparence de réalité, mais qu'elle est faible en comparaison de ce qu'on m'a montré !

Oui, cher petit masque, je t'avoue que cela me met dans la douleur. Je ne puis penser que l'espoir où j'étais d'intéresser bien vivement n'était, peut-être, qu'une chimère. Hélas ! je n'ai point cherché à te tromper ; c'est toi qui t'es présentée à moi, c'est toi qui m'as offert le bonheur ; et en me l'offrant tu pensais à me le retirer. Cette idée me déchire ; elle m'arrache bien des larmes, et ce n'est que sur ton sein que je pourrai les sécher. Si tu connaissais ma sensibilité, tu n'aurais point varié ton style : et si tu lisais dans mon cœur, tu y verrais que je ne fais qu'exprimer ce qu'il m'inspire ; je vois cependant que tu doutes encore de ma bonne foi.

Tu es inquiète au sujet d'une femme que je vois beaucoup : quand tu sauras son histoire, tu me pardonneras aisément. C'est une fille naturelle de mon père ; c'est ma sœur. Je lui suis très attaché : elle demeure auprès de chez moi et je profite du voisinage pour lui prouver que je l'aime, comme ma sœur, malgré le préjugé. Tu ne dois pas craindre que la nature rende l'amour infidèle. Tu peux faire des informations, tu verras que j'agis avec droiture : elle ne m'est pas étrangère et je te la dois particulièrement.

Je joins à cette lettre, petit masque, tout ce qui te prouvera, qu'avant ta réponse j'étais occupé de toi. La lettre qui devait t'être adressée était écrite d'avance, et ma muse avait commencé de célébrer celle que mon cœur chérit bien tendrement ; tu y verras que l'épreuve à laquelle tu me mets est bien cruelle, et que des jours, passés tout entiers loin de toi, ne valent pas les deux nuits du bal de l'Opéra[1].

J'avais une idée bien folle à te proposer, puisqu'il faut que ce que je congédie de bien bon cœur soit éloigné bien loin, avant que je paraisse devant toi ; écoute-moi, et lis mon projet. Tu choisirais une maison tierce ; tu t'y rendrais avec le costume sous lequel tu m'as si vivement intéressé ; je res-

1. Vers la fin de son règne, Louis XIV avait interdit tous les divertissements, sauf le théâtre. Un règlement du 30 décembre 1715 accorda à l'Opéra l'autorisation de donner des bals publics, à raison de 6 livres par personne. Le premier, inauguré par le Régent, eut lieu le 2 janvier 1716. L'année suivante, l'Académie royale de musique obtint le privilège de donner des bals dans la salle de l'Opéra pendant dix ans. Les bals eurent lieu d'abord trois fois par semaine, puis seulement les lundi et mardi gras, et le dimanche, depuis la Saint-Martin jusqu'au premier dimanche de l'Avent, et depuis le jour des Rois jusqu'au carême.

pecterais le voile qui te couvrirait. Je ne te verrais pas, mais je te parlerais, mais je serais près de toi : c'est pour toi-même que je t'aime, ce n'est point pour ta figure, quoique je sache qu'elle est jolie. Tu regrettais la fin du bal de l'Opéra, eh bien, voilà qui y ressemblerait beaucoup : nous n'y serions à la vérité que nous deux, mais, parmi toute cette foule, n'étions-nous pas comme s'il n'y avait eu d'autres personnes que nous. De cette manière tu mettrais l'amour d'accord avec la fantaisie et tout le monde serait content.

Je t'envoie aussi les vers que tu m'as demandés. Tu dois juger par mes écritures que mes *Mémoires* ont été consacrés en grande partie au petit masque. Je n'ai pas un seul moment d'ennui, car mon esprit n'a cessé de penser à celle qui occupe mon cœur. Adieu, cher petit masque. Que je voudrais suivre ma lettre ! Je t'annoncerais l'homme du monde qui t'aime le mieux. De grâce, écris-moi : c'est la seule consolation que j'aurai tant que tu me tiendras exilé.

J'ai rapporté du bal un mal de gorge, qui me tiendra aujourd'hui toute la journée chez moi, je suis seul, mais tout seul ; et toi, tu es peut-être dans un cercle bien brillant, bien agréable. Bien des adorateurs plus aimables que moi te font la cour. Ah ! je ne tiens pas à cette idée. Il est une inconnue que j'aime, qui dit que je lui suis cher, et je suis seul, tout seul. Ah ! cela est affreux. À quoi bon aimer si l'on ne se voit pas.

Dois-tu blâmer ma juste défiance ?
Je ne connais que l'ombre du bonheur.

Du changement et de l'indifférence
Sauve mon âme, en la tirant d'erreur.
Souvent le cœur ne devient infidèle
Que pour sortir d'un piège dangereux ;
L'Amour jaloux n'aime point qu'on l'appelle ;
Lorsqu'on ne veut qu'insulter à ses feux.
De la tendresse en toi j'ai vu la mère ;
Et le bandeau dont tu couvrais tes yeux,
Te donnait l'air de l'enfant de Cythère.
Tu l'imitais par tes ris et tes jeux,
En détruisant le songe, la chimère,
Qui, dans la nuit, m'a deux fois enchanté,
Ressemble encore au dieu de la Lumière,
Et que j'adore en toi la vérité.
Même à tes yeux tu crois que ma tendresse
Ne saurait point reconnaître tes traits,
Pour mon bonheur, éprouve mon adresse ;
Et que je puisse observer tes attraits ;
Alors, sans craindre une juste menace,
Si près de toi ma bouche peut oser :
Elle saura retourner sur la trace
Que sous ton masque imprima le baiser.

LETTRE VII

De Mme de Valmont, toujours inconnue,
au marquis de Flaucourt

Quelle chimère ! Cette sœur n'est pas mal trou-
vée ; n'importe, je veux bien vous en croire, tous les
jours on voit des choses plus extraordinaires ; mais

si vous voulez me convaincre de la vérité, voici la dernière épreuve.

J'ai appris que cette sœur a un appartement qui n'est point occupé ; demandez-le-lui pour un rendez-vous avec une femme que vous aimez ; si elle a cette complaisance, je croirai qu'elle est effectivement votre sœur ; mais je vous avertis que je saurai tout, car elle est l'amie intime d'une femme de ma connaissance qui ne me cache rien.

Vos vers sont charmants, ils expriment bien la défiance de votre cœur ; mais ils ne peuvent m'en assurer la solidité. L'amant qui, sur un simple soupçon, accuse son amante d'inconstance, est bien près d'être inconstant lui-même. Vous n'avez aucune raison de vous défier de moi, et j'en ai cent pour vous craindre.

Ne soyez donc plus injuste, si vous ne voulez pas être soupçonné de légèreté : l'amour sans confiance est bien peu de chose, il devient le tourment d'un cœur sensible, sans en faire les délices : voilà ce que j'éprouve. Je pourrais me livrer à celui qui fait mon malheur sans me connaître ; et que deviendrais-je, si, un jour triomphant de ma faiblesse, il m'abandonnait à d'inutiles remords ? Je verrais à la fois l'amour le plus tendre outragé, mon amour-propre humilié, et peut-être serais-je déshonorée. Voilà ce qui suit souvent un instant de faiblesse.

Si une vraie tendresse vous rendait tel que je désirais que vous fussiez, notre bonheur serait sans égal. Je me plais à m'entretenir avec vous ; trouvez-vous le même plaisir à me lire ? une amante qui prêche, peut-elle séduire un homme que la morale a toujours ennuyé ? Quel triste langage pour l'amour !

Ah ! dites-vous, c'est ainsi qu'il s'exprimait du temps de Charlemagne, et votre amante timide et craintive ne vous connaît pas ce travers ; vous avez l'âge, la tournure, les grâces de nos papillons de la cour, n'en auriez-vous pas les sentiments ? C'est un jeu pour ces hommes du jour de séduire, de tromper une femme crédule, sensible. Cruel amusement ! ah ! si j'étais destinée à être votre victime, combien j'aurais à rougir de vous avoir laissé pénétrer dans les secrets de mon âme. Soyez assez généreux pour renoncer à moi, si vous devez me tromper.

Adieu ; je vais m'endormir avec votre idée ; je vous écrirai à mon réveil. J'aurai sans doute une de vos lettres, ou la réponse à celle-ci. Adieu, encore, adieu, toi, que j'aime, toi, que je crains.

L'Inconnue

LETTRE VIII

Du marquis de Flaucourt à Mme de Valmont,
sous le nom de l'Inconnue

Votre lettre m'étonne, Madame, sans pouvoir me convaincre ; et mon cœur est toujours enveloppé d'un nuage que votre présence peut seule dissiper. Quoi ! celle qui consent à faire mon bonheur, serait ce petit masque qui m'a si vivement affecté au bal, qui a su employer d'une manière si adroite, si naïve, les expressions, les caresses les plus tendres pour me tromper ; qui s'applaudit de jouer la tendresse d'un jeune homme qui s'abandonne avec confiance. Vous avez exalté ma tête, enflammé mon cœur, et vous vous plaignez de moi, quand je n'ai de volontés que les vôtres : pardonnez, Madame, ma défiance ; mais je n'ose le croire encore. Cependant votre lettre a tous les caractères de la vérité. Je ne veux pas penser qu'un jeu aussi long ait un dénouement si cruel. Si mon bonheur n'en était pas l'objet ! Un rendez-vous, tel que celui que vous me proposez, est plus que je n'ose espérer, est trop si ce n'est qu'une chimère, et cette plaisanterie deviendrait sanglante ; mais, méchante inconnue, si c'est vous, dieux ! si c'est vous, je suis au comble de la joie, mais ai-je besoin de vous faire des protestations, et ne savez-vous pas comment je suis avec ceux qui me témoignent de l'affection.

Il sera aisé de s'assurer de l'appartement que vous désirez ; mais permettez-moi de vous observer qu'il est démeublé et qu'il est très incommode, la maison étant occupée par Mme la marquise de Niolly : je suis très connu de tout son monde. S'il est vrai que vous ayez résolu de m'accorder un rendez-vous, je préférerais un local que j'ai malheureusement employé pour des entrevues que je voudrais oublier à jamais.

L'appartement est à un homme de ma société que je n'ai point vu depuis le bal de l'Opéra, et qui ignore complètement toute cette histoire. Il demeure aux Petites Écuries du roi sur le Carrousel. Comme cette maison est un passage, elle a deux entrées ; l'une vis-à-vis les Tuileries, et l'autre derrière l'hôtel des Fermes : on entre sans être vu du portier, et l'on ne rencontre pas une âme. Mon ami n'a qu'un domestique que j'aurai soin d'éloigner, et vous ne serez vue de personne. Je puis encore vous donner ma parole d'honneur que le secret sera gardé pour tout le monde. J'arriverai le premier. Je puis vous certifier qu'il n'y a pas dans tout Paris un endroit aussi commode que celui-là ; et dans cette rue de Condé, vous ne pourriez empêcher que le portier et la personne à qui il appartient, qui est bien véritablement ma sœur, et non une amante, ne soient instruits de notre rendez-vous. Ma sœur a un très bon cœur ; mais elle est curieuse et indiscrète : elle rirait beaucoup de notre aventure et la tournerait en ridicule.

Je laisse à votre prudence à décider de cela : je vous promets fidélité, soumission et discrétion.

LETTRE IX

De Mme de Valmont,
toujours sous le nom de l'Inconnue,
au marquis de Flaucourt

Quelle nuit ! Quel réveil ! Et je n'ai point de lettre de vous. Vous êtes encore dans les bras de Morphée, et moi, je suis livrée tout entière aux rêveries de l'amour. Vous occupez-vous de l'appartement de votre prétendue sœur ? Votre petite créature est-elle partie ? Avez-vous congédié cet homme qu'on m'a assuré être toujours à vos trousses, et qui vous déshonore ? m'aimez-vous, comme vous me l'avez juré au bal de l'Opéra et protesté dans toutes vos lettres ? Toutes ces questions sont répétées, je le sais, mais elles sont nécessaires. Je ne vous verrai qu'après avoir reçu de vous une pleine satisfaction sur tout ce que je vous demande.

Il n'est que neuf heures ; on m'annonce du monde ; peste soit des importuns ! Je finirai ma lettre lorsque je m'en serai débarrassée. Certes, j'aurais été bien fâchée, mon cher marquis, d'être invisible pour les personnes qui sortent de chez moi.

C'est cette femme qui m'a parlé de Mme de Valmont. Elle m'a assuré qu'elle était votre sœur : vous voilà justifié. Qu'elle me devient chère, Mme de Valmont, depuis que je sais qu'elle ne veut que votre bonheur !… Mais, quelle est cette jeune personne de Toulouse, que vous avez déposée dans un couvent à Lyon. Mme de Valmont a confié à mon amie que vous l'aviez enlevée du sein de sa famille. Cette passion me paraît plus à craindre que la liaison de cette petite fille.

Ma tête s'embarrasse, mon cœur est troublé ; plus je cherche à vous éprouver, plus je m'éprouve moi-même. Je me suis préparé bien des chagrins ; si vous avez un attachement digne d'un homme honnête, il ne faut pas chercher à me séduire : vous feriez deux malheureuses à la fois ; et vous ne pourriez être heureux vous-même.

On m'apporte une lettre de vous. Je vous quitte d'une main pour vous recevoir de l'autre.

LETTRE X

Du marquis de Flaucourt à Mme de Valmont,
sous le nom de l'Inconnue

Aimable et chère Inconnue, je n'ose encore ajouter foi aux apparences les plus flatteuses ; je suis dans un labyrinthe, où je m'égare plus je cherche à en sortir. La vérité n'éclaire point mon cœur ; le souvenir des marques de votre tendresse n'est point une preuve qui me rassure ; c'est un tableau charmant qui récrée ma vue, mais qui ne fixe point mon espérance. Pourquoi consulter votre raison sur la possibilité de mon attachement ? Vous instruirait-elle mieux que la franchise avec laquelle je vous ai parlé et écrit, et qui vous peignait assez mon âme ?

Vous attribuez l'effet si prompt que vous avez fait sur moi à une idée romanesque : mais songez-vous donc, chère et charmante Inconnue, que vous avez commencé par intéresser ma reconnaissance ; qu'une fiction bien aimable, que vous me donniez comme une vérité, vous a présentée à moi, non comme une maîtresse, que le hasard m'offrait, mais comme une amie qui voulait depuis longtemps mon bonheur ; mon cœur n'a cédé qu'aux qualités qu'il croyait voir en vous. L'amitié, l'esprit, les bons conseils, tout m'a séduit ; j'en ai tiré un augure favorable à mon bonheur ; j'ai cru trouver le phénix, en trouvant une femme qui serait et mon amante et mon amie.

Si jusqu'à présent l'inconstance m'a promené d'engagement en engagement, vous avez raison de douter ; mais, depuis cinq ans, je suis dans le tourbillon du monde ; la méfiance a conservé ma liberté, et j'espérais enfin remplir le vide qui fait mon malheur.

Oui, aimable Inconnue, c'est autant la réflexion que l'ivresse du moment qui m'a séduit, et si j'apprends que votre amour n'est qu'une illusion, un fantôme imaginaire, je rentre dans le néant dont vous m'aviez tiré : cessez donc de m'éprouver ; et ne me comparez pas à ces papillons de cour, qui ne trouvent de jouissance que dans le changement.

Votre curiosité a donc fait encore de nouvelles perquisitions ; on vous a dit des choses dont vous voulez être éclaircie. Il n'est rien, chère Inconnue, que je ne vous dévoile ; mais, de grâce, n'exigez point des aveux que je ne confierai point au papier : si vous êtes juste, vous approuverez ma conduite, et vous conviendrez qu'il est des secrets qu'on ne peut dire qu'à une personne sûre. Ma franchise vous a prouvé que je n'ai rien de caché ; mais ma probité exige que je ne vous dise, que quand je vous connaîtrai parfaitement, ce que je dois taire. Je vous assure que si j'ai connu l'amour, aujourd'hui je n'en sens que pour vous ; et que si vous n'avez pas eu les premiers vœux de mon cœur, il s'en faut de bien peu. Ayez la générosité de ne point demander un aveu qui ne se fera qu'à vos pieds. Encore une fois, je vous aime, quoique je ne vous connaisse point. Je ne vous aime point comme une chimère, mais comme l'objet qui le mérite le plus ; et l'amour fondé sur l'estime et la reconnaissance est plus solide que celui qu'inspire une jolie figure.

Je désirerais bien que vous suivissiez mes conseils pour notre entrevue. La chose serait beaucoup plus facile. Avec quelle impatience j'attends votre réponse ! Je vous proteste qu'il n'y a que vous qui puissiez m'inspirer tant de confiance et tant d'amour. Adieu, chère et adorable Inconnue : je brûle d'un feu qui ne s'éteindra qu'au tombeau.

LETTRE XI

De Mme de Valmont,
sous le nom de l'Inconnue,
au marquis de Flaucourt

Il faut donc céder, il faut donc vous entendre et vous croire ; mais je vous déclare que je profiterai du moyen que vous avez vous-même inventé, en restant encore inconnue à vos yeux. Je serai accompagnée d'une femme de ma connaissance qui sait notre liaison. C'est la même personne qui était au bal avec moi. Loin de m'éloigner de vous par de sages conseils, la cruelle me vante sans cesse votre figure, votre esprit, cette douce amabilité qui distinguait jadis le Français du reste de tous les hommes et qui subjuguait les peuples les plus sauvages. Quels temps, et quels principes ! actuellement ces hommes aimables ne sont plus que des colifichets, des Adonis pompés[1], bigarrés, masqués, suffisants, mauvais railleurs, passant la matinée dans les rues bottés et fourrés, rossant leurs joquets[2], pour n'avoir

1. Sans doute « pomponnés », parés, ornés avec recherche.
2. La forme anglaise, jockey, est elle-même une altération du français *Jaquet*, diminutif de Jacques, désignant un homme de peu d'importance.

pas rempli ce qu'ils n'avaient point ordonné, montant dans leurs cabriolets, jurant et pestant contre tout le monde, et sans colère, parce qu'il est du bon ton de se fâcher sans sujet, écrasant tout ce qui se rencontre sur leur passage, allant partout, n'entrant nulle part, jamais satisfaits de leur journée, apprenant tout et ne sachant rien, parlant de tout comme des perroquets, jugeant à tort et à travers de ce qu'ils n'entendent pas, et sans rien approfondir : voilà le modèle piquant de nos jeunes gens.

Vous êtes bien différent de ce tableau ; mais si l'esprit chez vous a formé votre caractère, peut-être vos principes ne sont-ils pas mieux établis. Excusez, pardonnez-moi le mot ; il en coûte d'offenser ce qu'on aime ; mais je vous crains. L'objet essentiel dont je vous ai parlé dans plusieurs lettres, est précisément celui auquel vous feignez de ne pas répondre. Je crains plus cet homme qu'une rivale, je ne veux cependant pas vous donner de nouveaux délais. Demain à sept heures du soir, je me rendrai au Carrousel ; je paraîtrai en domino et telle que vous m'avez vue à l'Opéra ; mais songez à tous les sacrifices que je puis exiger de vous ; c'est sans réserve qu'il faudra tout m'avouer, et je verrai bien dans vos discours ce qui se passe dans votre âme.

Adieu, cher Marquis, faites tomber le masque de celle qui n'aime que vous au monde. Quelle contrainte pour un cœur sensible, pour une âme pure, d'être forcée de paraître déguisée aux yeux de son amant. Adieu ; je ne rougirai point de ma défaite ; adieu encore, mon bonheur sera parfait si vous pouvez me convaincre de votre sincérité.

LETTRE XII

Du marquis de Flaucourt à Mme de Valmont,
toujours sous le nom de l'Inconnue

Est-il bien vrai, mon adorable Inconnue, que vous mettez un terme à mes tourments ? N'est-ce point un songe qui m'abuse et dois-je me livrer à ses charmes ? N'est-ce point une nouvelle erreur ? je n'ose croire que vous me destiniez un bonheur si parfait. Titon rajeuni par l'Aurore[1] n'éprouva pas autant de satisfaction près de son amante que j'en ressens déjà de la douce émotion que m'a donné l'espoir d'être demain aux pieds de la mienne. Ô mon amie ! quel coup de foudre pour moi, si un malheureux contretemps venait déranger vos projets ! une sueur froide succède à mon ravissement : je ne sais où je suis. Une nuit cruelle à passer, un jour éternel à supporter. Ô mon adorable Inconnue, que de sensations différentes tu me fais éprouver ! Ta présence peut seule rendre le calme à mon âme. Je ferai tout ce que tu exiges de moi ; mais un homme de qui je fais peu de cas, un complaisant qui peut nous être utile, et que je n'emploie que comme un valet, en lui laissant croire que j'ai pour lui quelques bontés ; un homme, dis-je, de cette espèce peut-il vous alarmer ? il est honnête homme d'ailleurs et

1. Fille d'Hypérion et de Théia, Aurore demanda à Zeus de lui donner le prince troyen Tithon pour époux. Zeus accorda l'immortalité au prince, mais Aurore ayant oublié de demander en même temps pour lui l'éternelle jeunesse, Tithon tomba en décrépitude et les dieux le métamorphosèrent en cigale. Aurore eut deux fils de cette union : Memnon et Émathion.

il a pour moi un attachement inviolable : voilà ce que je puis vous assurer.

Adieu, ma tendre amie : que le temps va me paraître long ! vingt-quatre heures sont encore un siècle pour mon amour. J'ajoute à cet écrit sans ordre, des vers qui ne sont pas plus sages, mais pardonnez à l'esprit en faveur du sentiment.

> Ce n'est donc point un vain mensonge
> Dont l'illusion m'a séduit.
> La vérité suit donc un songe
> Qui semblait fuir avec la nuit.
> Ce n'est donc point une chimère,
> Que cachait ce masque inhumain ;
> Ce n'est point une ombre légère,
> Que je serrai contre mon sein ;
> C'est une beauté bien réelle,
> Qu'Amour conduisit sur mes pas ;
> Mais dont la volonté cruelle
> Me dérobe encore les appas.
> Entre la crainte et l'espérance,
> Qui toujours partageaient mon cœur,
> Je n'osais croire à l'existence
> D'un être fait pour mon bonheur.
> Un souvenir rempli de charmes
> Ne m'offrait rien pour l'avenir :
> Mes yeux se remplissaient de larmes,
> Et pour dissiper mes alarmes,
> Je ne trouvais que le désir.
> Est-il donc vrai ?
> Je vois éclore
> Le jour de la félicité.
> Est-il vrai qu'Amour ait formé

Ce caractère que j'adore,
Et mon cœur doit-il croire encore
Au plaisir nouveau d'être aimé.
Si ce papier que je dévore,
N'est point un messager trompeur,
S'il est l'organe de ton cœur,
Aimable et charmante Inconnue,
Cesse de reculer le jour
Qui doit présenter à ma vue
L'objet si cher à mon amour :
Laisse-moi voir cette figure,
Qui sous des voiles respectés
Cachait, à mes yeux irrités,
Des traits charmants que la nature
N'a point fait pour être masqués.
Songez bien, mon unique amie,
En différant cette faveur,
Que ce sont autant dans ma vie
D'instants enlevés au bonheur.
Déterminez l'époque heureuse
Qui doit finir le triste cours
D'une existence malheureuse,
Et semer des fleurs sur mes jours.
Dès que la voix de la tendresse,
Auprès de toi m'appellera,
Contre le sein de ma maîtresse,
Mon cœur à l'instant volera.
D'une âme longtemps criminelle,
Abjurant, à tes pieds, l'erreur,
J'irai t'offrir, avec ardeur,
Les serments d'un amant fidèle.
Que ta bouche, en fixant son sort,
Rassure un cœur qui doute encore ;

Dès lors, croyant aux apparences,
Dès lors, oubliant mes douleurs,
Je compterais, par tes faveurs,
Mes plaisirs et mes jouissances.
Oui, chaque jour, de ma tendresse
Je redoublerai les transports ;
Et pour te prouver mon ivresse,
Je n'aurai pas besoin d'efforts.
Mon âme, faite à la franchise,
Connaît peu le déguisement :
Elle veut que ma bouche dise
Ce que dicte le sentiment.
Sans cesse attentif à te plaire,
Occupé de toi seulement,
J'éloignerai, comme un tourment
Toute autre pensée étrangère.
Assidu près de toi le jour,
Sensible à la moindre caresse,
Je n'exigerai de l'amour
Que les soupirs de ma maîtresse.
La nuit, dans un sommeil serein,
Un songe, envoyé par Morphée,
Viendra m'offrir jusqu'au matin,
Et les plaisirs de la journée,
Et les plaisirs du lendemain.
Tel sera le plan de ma vie ;
Ainsi couleront mes instants :
Pour toi mon indulgente amie,
Pour toi seront tous mes moments.
Cesse donc ton refus sévère,
Qui m'afflige et me désespère,
Ou, si ta cruelle rigueur
Voulait prolonger mon erreur,

Écoute, j'y consens encore,
Sur cette tête que j'adore,
Conserve le masque trompeur ;
À travers cette horrible toile,
Dans mes regards vois mon ardeur,
Et ne laisse tomber le voile,
Qu'après avoir lu dans mon cœur.
Entends les serments que mon âme
Saura t'exprimer par mes yeux ;
Lorsque l'amour y met sa flamme,
Leurs signes ne sont pas douteux ;
Mais alors, pour ma récompense,
Découvre-moi les traits chéris,
Qui, dans mon cœur, par l'inconstance
Ne seront jamais affaiblis.
Délivre ton joli visage
De ce fantôme détesté,
Et d'un bonheur tant souhaité
Que je puisse briser l'image,
Pour saisir la réalité.

LETTRE XIII

De Mme de Valmont à son frère

Que devenez-vous, mon cher frère ? savez-vous
que voilà trois semaines qu'on n'entend presque
plus parler de vous ? quel accident subit me prive
du plaisir de vous voir ? si c'est une chute, elle me
paraît très dangereuse, et je ne pourrais m'empêcher d'aller vous donner tous mes soins. Mon cri
de compassion ne vous touche-t-il pas ?

Savez-vous que je ris de bon cœur de l'événement qui vous arrive. En vérité, vous êtes un second Don Quichotte ; on s'amuse de vous, et vous ne voulez en rien croire. Je vous l'ai dit pendant tout ce carnaval ; mais votre sœur vous devient suspecte. Elle vous aime et c'est assez pour que ce qui vient de sa part vous soit insupportable. Je ne veux plus vous moraliser, mon cher frère ; vous êtes un enfant gâté. C'est en vain que je ferais mes efforts pour vous rendre plus conséquent : il n'y a que l'âge et l'expérience qui pourront vous mettre à la raison ; mais parlons de l'aventure du bal ; y mettez-vous de la suite ? vous a-t-on écrit ? je commençais à m'en amuser, et j'étais bien fâchée de la voir finie sitôt. Je projetais d'en prendre ma part ; vous ne me dites plus rien ; je le vois, vous êtes heureux… on est discret une fois… quand l'objet le mérite.

Je vous ai trahi, peut-être, sans le vouloir. Mais pouvais-je deviner ? votre conduite me donne des soupçons, on m'a beaucoup parlé de vous : on a paru douter des liens qui nous unissent, et depuis ce moment je ne vous vois plus. Je suis loin de suspecter mon amie qui a mon secret et le vôtre, mais son imprudence m'aura ôté votre amitié ; ou bien, votre fol amour vous rendit invisible à vos parents, à vos amis : votre laquais, le bon Saint-Jean, m'a bien fait rire ce matin : son attachement est bien rare. Il pleure, il s'afflige parce que vous ne dormez pas depuis trois semaines ; que vous ne sortez plus, et que vous avez de la barbe comme un capucin. Il se connaît bien peu en amour, le bon homme ; c'est la forme qu'il prit pour séduire une Agnès[1]. Mais entre nous celle du bal n'est pas une novice : vous conviendrez du moins qu'on ne les trouve pas là.

Adieu, mon cher frère, venez dîner avec moi, et surtout faites-vous faire la barbe.

LETTRE XIV

De M. le marquis de Flaucourt à Mme de Valmont sa sœur

Je venais de vous écrire, ma chère sœur, quand on m'a remis votre lettre. Vous verrez que j'avais lieu de me plaindre de vous. Ce dont vous me parlez ne m'étonne point et ne me change point à votre égard. Je suis en correspondance secrète. Il est question de vous ; on fait des perquisitions au sujet d'une femme que je vois beaucoup. Je ne doute pas que ce ne soit vous, et, pour ôter tout soupçon, je réponds à l'Inconnue par le récit de votre histoire : elle doit trouver toute simple cette liaison. Je crois que vous voilà au fait en peu de mots.

Je ne puis comme je le voudrais aller dîner chez vous. L'amour me tient enfermé. Ce n'est que demain que je quitterai la chambre, et je ne vous verrai que le jour suivant ; malgré votre indiscrétion, je ne pourrai m'empêcher de vous faire partager ma joie.

1. Allusion au personnage de *L'École des femmes*, de Molière. Le terme désigne ironiquement une jeune fille ignorante et très ingénue.

Adieu, ma chère sœur ; rien ne peut affaiblir le lien qui m'attache à vous. Ne m'en voulez point de ma lettre de ce matin ; c'est le fruit d'un moment d'humeur.

LETTRE XV

Du marquis de Flaucourt irrité,
à Mme de Valmont, sa sœur,
avant la précédente

Je vois, ma très chère sœur, qu'il ne faut rien confier aux personnes qui paraissent même les plus discrètes. Vous avez révélé le seul secret que je vous avais confié, et que je voulais garder. Je n'aurais jamais cru que vous eussiez pu vous plaire à faire une tracasserie. Si j'avais voulu le divulguer, soit dans un temps ou dans un autre, il fallait m'en laisser le soin.

J'ai été bien surpris en apprenant par une lettre de l'Inconnue qu'elle savait une chose absolument ignorée. Je suis peut-être indiscret pour ce qui me concerne ; mais fallait-il m'imiter et compromettre une jeune personne qui se dérobe à l'autorité de ses parents. Je n'ai point abusé de la foi qu'elle m'a donnée ; elle est renfermée dans un couvent qui nous sépare de cent lieues ; je m'occupe des moyens de la faire rentrer dans sa famille.

Sans doute, c'est à l'adorable Inconnue que je dois ce rayon de lumière : vous m'avez donné comme elle de bons conseils ; mais l'amour est plus fort que la raison, et quand il la conduit, elle fait merveille. Me voilà dans le bon chemin où vous m'avez désiré, mais, à l'avenir, je serai plus circonspect.

Adieu, ma sœur.

LETTRE XVI

De Mme de Valmont, au marquis de Flaucourt, son frère

Je ne dois répondre qu'à votre première lettre, Monsieur. Je ne m'apaisera point ; je suis piquée au vif, malgré toutes les apparences d'amitié que vous me témoignez dans votre seconde. Dussiez-vous vous mettre en fureur contre moi, je vous dirai toujours que vous n'avez pas le sens commun, et qu'avec de l'esprit vous faites des sottises comme un écolier de sixième ; que tout Paris s'amuse de votre aventure du bal. Je suis persuadée qu'un ami qui vous affectionne beaucoup vous a entraîné dans cette correspondance, pour vous sauver d'un ridicule. Votre Inconnue est une chimère ; je le sais de bonne part. Vous ne suivez que les conseils de l'amour, écoutez ceux de l'amitié ; ils vous empêcheront de commettre des imprudences. Je sais bon gré à l'Inconnue de son intention, mais si vous ne trouviez pas avec elle la récompense de toutes vos peines, vous la détesteriez.

Adieu ; je vous en dis trop ; vous seriez bien maladroit, si vous ne profitiez pas de mes avis.

LETTRE XVII

Du marquis de Flaucourt à Mme de Valmont, sa sœur

Il faut convenir, ma sœur, que vous êtes bien insupportable. Je ne réponds point aux choses désobligeantes qui sont dans votre lettre, quoi qu'elles soient déplacées : il y a longtemps que je n'ai plus de mentor, et je suis fâché pour vous que vous vouliez en prendre la peine. On me trompe, on se joue de moi ; eh bien ! tout cela m'est égal, je vous assure. Mon plaisir est d'être dupe ; mais nous verrons à la fin lequel de vous ou de moi l'était le plus.

Je suis malade ; et si l'on a manqué au rendez-vous, vous seule en êtes cause : jugez si je dois vous en vouloir.

LETTRE XVIII

De Mme de Valmont à Monsieur le comte de ***

Mon roman serait fini, Monsieur ; et j'aurais cessé cette espièglerie, croyant que mon frère m'avait devinée ; mais son extravagance m'a forcée de continuer en changeant de rôle. Ce qui vous surprendra ; c'est qu'avec de l'esprit il ait donné dans ce nouveau piège. Jugez d'après cela des sottises que peut faire un homme sans caractère lorsqu'il s'abandonne à un scélérat.

J'ai dû vous prévenir, Monsieur le comte, ainsi que le lecteur, de ce changement de scène.

J'ai l'honneur d'être, etc.

LETTRE XIX

De Mme de Valmont au marquis de Flaucourt,
sous le nom d'une nouvelle Inconnue

Que vais-je vous apprendre, Monsieur ? dois-je pour mon bonheur, vous laisser ignorer ce qui se passe ? Témoin de tous vos transports amoureux, pour mon amie, je suis seule victime des pièges qu'elle vous a tendus. J'ai le cœur sensible, l'âme délicate : je n'ai pu voir avec indifférence plaisanter un jeune homme de si bonne foi. L'humanité fut d'abord le premier sentiment que vous sûtes m'inspirer.

Mon amie me choisit pour son secrétaire, je devins sa confidente ; j'étais la maîtresse de vous écrire comme je le jugeais à propos. Mon penchant me dicta tout ce que vous avez trouvé de sensible dans ses lettres. Mon amie s'en amusait beaucoup ; je lisais dans son âme ; mais jamais elle n'a pénétré dans la mienne. Tout ce qui n'était que l'épanchement de mes sentiments les plus purs, a parfaitement répondu aux écarts de sa tête.

Elle ne fut jamais sensible ; elle croit que toutes les femmes doivent penser comme elle : que ne puis-je hélas ! l'imiter. Je sens que je m'expose au mépris, à l'opprobre ; j'ai honte de moi-même ; je trahis l'amitié ; je devais respecter le plaisir qu'elle avait de faire votre tourment.

Vous le préféreriez peut-être, à apprendre que l'Inconnue du bal vous a trompé, qu'elle était de mauvaise foi et que sa confidente a senti seule tout ce que vous méritez. En gardant le plus profond silence, elle vous vengeait en secret des perfidies de son amie.

Je vous connais mieux qu'elle ; nous nous trouvons souvent dans les mêmes sociétés : je n'aurais qu'à dire un mot et vous me reconnaîtriez bientôt ; mais, que dis-je ? malheureuse ! qu'il ignore à jamais ma faiblesse. Ai-je les charmes, les grâces de mon amie, pour le faire repentir de s'être mépris, de n'avoir pas reconnu la véritable et de n'avoir pas senti pour elle cette douce émotion, cette sympathie, messagères de deux cœurs qui cherchent à se confondre ; non, vous ne me connaîtrez jamais ; seule, je dévorerai mes chagrins et mes larmes ; remplie de votre image, je trouverai dans ma solitude de quoi nourrir ma passion. Sans cesse occupée à relire vos lettres et vos vers, qui ne furent pas écrits pour moi, mais qui font ma consolation, j'ai étouffé pour vous tout principe d'honneur et de décence : l'amour vous trahit, l'amour vous venge.

D'après cet aveu, ne daignez pas me connaître ; méprisable à vos yeux, je ne puis vous paraître que comme une femme accoutumée à ces sortes d'avances. J'ai l'air de chercher une excuse, quand on vous trompe. S'il ne s'agissait que de vous convaincre, je ne tarderais pas à me découvrir.

J'ai fait tout ce que j'ai pu pour engager mon amie à se trouver au rendez-vous ; il vous eût été facile de voir laquelle était de bonne foi. La cruelle préféra d'aller à l'Opéra. Elle vous a fait attendre impitoyablement : ce qui m'a donné beaucoup d'humeur contre elle, et pour me consoler, elle m'a dit qu'il fallait cesser cette comédie, qu'aussi bien elle commençait à l'ennuyer ; je vous avoue que je ne l'ai pas vue avec indifférence renoncer au plaisir même de vous tromper. Quoi ! me disais-je intérieurement, il croyait épancher son âme dans le sein de son amante ; il l'aime sans l'avoir vue ; ne suis-je pas comme elle inconnue à ses yeux ? Il est vrai qu'il ne m'a point entretenue au bal, que les accents de ma voix n'ont pas séduit ses sens ; mais tout ce qu'il disait en pure perte à mon amie retombait dans le fond de mon cœur : je ne puis vous exprimer le désordre de mes sens, après que mon amie fut partie pour l'Opéra, où je ne pus l'accompagner ; je faillis me rendre seule à l'appartement indiqué. Quel affreux, ou plutôt quel heureux contretemps ! Mon père ne voulut point sortir de l'après-midi ; une de mes tantes vint passer la soirée, et je fus contrainte à leur faire compagnie. Je ne tins pas longtemps dans cette triste situation : une attaque de nerfs si prompte et si violente s'empara de moi, qu'on me tint pour morte l'espace de trois heures ; on fut obligé de me porter sur mon lit. Ma femme de chambre est restée près de moi toute la nuit. Elle m'a dit que je n'avais fait que répéter votre nom à chaque minute. C'est elle que j'ai envoyé chez vous ce matin, n'ayant pas eu la force de vous écrire. Je trouve un soulagement à mes maux depuis que je dépose sur le papier directement d'après moi tout ce que je pense.

Voilà la relation fidèle de mon histoire. Faites-en un mauvais usage, si vous voulez ; vous en êtes le maître, et je vous y ai autorisé ; mais je vous aime, je suis à plaindre et plus malheureuse encore ; c'est ce que peut vous assurer l'infortunée confidente de l'Inconnue : je ne brûlai jamais que pour vous, et je n'aimerai jamais que vous.

Il me vient une idée. Je veux non seulement vous venger, mais punir mon amie, en vous la faisant voir malgré elle. Envoyez-moi le billet de votre loge aux Italiens ; je le proposerai à ma tante et à mon oncle ; vous ne nous ferez aucune question particulière. Je désire seulement de connaître si votre cœur ne vous trompera point encore, et si la plus jolie vous paraîtra la plus sincère, ou si la plus laide vous paraîtra la plus sensible.

LETTRE XX

Du marquis de Flaucourt
à la dernière Inconnue

Je suis, Madame, dans un labyrinthe inexplicable et tout le fil de ma raison ne peut m'aider à en sortir. Il y a longtemps que je sais que l'aventure du bal et sa suite ne sont qu'une plaisanterie ; mais la trame est si compliquée, et j'y vois tant de contradictions et tant de ressorts si différents, que ma curiosité n'est pas assez pénétrante pour en découvrir les auteurs. Ils sont au reste fort aimables et leur correspondance m'amuse infiniment, sans fatiguer mon cœur qui a été dupe bien peu de temps. Voici un changement de scène fort bien imaginé, ce qui fait un très beau coup de théâtre ; mais il me paraît prudent de ne pas m'y fier. On s'imagine qu'en me présentant de nouvelles apparences de vérité, on échauffera de nouveau ma tête et mon cœur, et que, reprenant sur-le-champ le ton langoureux, je livrerai encore ma bonhomie aux traits de l'épigramme ; on se trompe, et je veux attendre pour me livrer à une nouvelle passion que ce nouvel objet s'offre à mes regards.

Ce secrétaire qui prend tout de suite le rôle de son amie, qui en m'éclairant sur une erreur, que j'ai reconnue depuis plusieurs jours, veut m'en offrir une autre, est fort adroit, et le piège est fort ingénieux ; mais je n'y tombe pas, d'autant plus que si je suis bien au fait, ce secrétaire, quoique fort spirituel, n'a pas reçu de la nature ce qui peut séduire les yeux, et qu'encore faut-il que les agréments de l'esprit soient couverts d'une écorce qui plaise à la vue.

Peut-être, aussi me trompais-je, et il est possible que le double ait autant d'appas que la première actrice ; alors, je lui conseille de ne pas trop s'affliger et de recouvrer une tranquillité dont la perte nuirait à sa santé et à ses attraits. Si ma présence est nécessaire à son rétablissement, si jusqu'à ce moment ses nerfs sont en contraction, si la malade est jeune et jolie, alors, je lui mènerai le médecin, et j'emploierai bien volontiers le magnétisme de l'amour.

C'est sans doute former bien promptement la résolution d'être infidèle ; mais je le dois : le petit masque est un traître, un perfide, un parjure, enfin tout ce que vous voudrez. Je l'aimais : l'amour même a survécu à mon erreur ; mais ma raison l'anéantit. Mon amour-propre est blessé au vif et à moins que par une continuation de ce jeu, ce ne fût lui-même qui fut ce secrétaire, je l'oublierai totalement, et ses traits que vous croyez si profondément gravés dans mon cœur s'effaceront insensiblement, et celle qui me consolera de ses perfidies prendra entièrement sa place dans mon souvenir.

Je vous remercie bien de la bonté que vous avez de vous occuper de mes rapsodies : cela est bien généreux d'applaudir à ce qui a été fait pour votre rivale ; je vous en aimerai quatre fois davantage, quand je serai sûr de votre existence. J'accepte avec plaisir les moyens que vous m'offrez de m'en convaincre. Je vais vous envoyer le billet de ma loge. Je crois que je rirai bien en y trouvant des figures très connues : je crois même à peu près deviner qui elles sont, et comme je m'y attends, elles n'auront pas le plaisir de jouir de mon embarras et de mon étonnement. Si par un prodige inouï, l'amour m'y offrait une charmante Inconnue et réalisait des songes qui deviennent trop longs, je m'applaudirais de mon triomphe et du dénouement qui terminerait une aventure aussi bizarre. D'amant dupé, je deviendrais amant heureux ; mais jusqu'à cet instant chimérique, je conserverai le repos dont mon cœur commence à jouir et je serai, Madame, avec tout le respect possible,

Votre très humble, etc.

P.-S. Quand j'arriverai dans la loge, si je n'y connais ni cet oncle, ni cette tante, ni cette nièce, de qui pourrais-je me réclamer, pour que votre chaperon ne soit pas étonné de me voir ? Cette question est au surplus assez inutile ; mais comme pour mieux m'attraper j'y pourrais voir des personnages très hétéroclites, il me semble qu'il ne faut pas que j'aie l'air d'un intrus et vous pourriez me dire le nom de la personne à qui je prête ma loge, celui de votre très honorée tante afin que je puisse me réclamer d'elle.

LETTRE XXI

Du marquis de Flaucourt
à la seconde Inconnue,
qui est toujours Mme de Valmont

Qui que vous soyez, Madame, la plaisanterie devient trop longue, surtout dès qu'elle est malhonnête. Il est si aisé lorsqu'on a de l'esprit de jouer quelqu'un dont la simplicité amuse, qu'on n'a pas besoin pour cela de mauvais procédés qui conviennent encore moins aux femmes dont l'âme est encore plus délicate que celle des hommes.

Je ne vois pas qu'il soit très ingénieux de demander un billet de loge pour empêcher le propriétaire d'y mener ou ses parents, ou ses amis, et le priver d'une société qui lui serait plus agréable que l'ennui d'attendre un personnage inconnu qui badine un peu grossièrement. Si vous étiez celle dont vous preniez l'air et le ton, vous auriez de si bonnes raisons que vous les auriez données d'abord, mais vous n'êtes apparemment qu'un très mauvais plaisant qui s'alambique l'esprit, pour donner très gauchement les couleurs de la vérité à un jeu très peu piquant. Je vous ferais toutes les excuses que je vous devrais, si vous pouviez, entre quatre yeux, me prouver que vous êtes une femme jolie et aimable ; mais les grâces de l'esprit sont ordinairement accompagnées d'une bonne éducation et cette Inconnue est sans doute un homme très ridicule. Je ne vois pas qu'il y ait rien de trop dans ma lettre, parce que si vous étiez celle que vous vous êtes annoncée, vous verriez que cela ne tombe nullement sur vous, et si vous ne l'êtes pas, vous sentirez que vous le méritez, dans le moment que je vous écris ; j'ignore s'il viendra une lettre de vous ; je serai sorti quand elle arrivera, et il faudra qu'elle soit bien claire et que les masques soient bien nommés, pour que je voie que vous avez eu de bonnes raisons pour manquer à ce rendez-vous si bien imaginé. Je vous fais amende honorable de l'impertinence avec laquelle je vous ai parlé, mais je crois que je n'aurai pas besoin de me rétracter ; adieu, Madame : jusqu'au revoir.

Si, pendant que je serai parti, on m'apporte une lettre, je ferai la réponse en rentrant, et elle sera prête demain à l'heure que l'on viendra la chercher.

LETTRE XXII

De Mme de Valmont,
sous le nom de la dernière Inconnue,
au marquis de Flaucourt

Qu'ai-je lu ! c'est de votre part que j'ai reçu une épître aussi dure, qui joint à l'épigramme le plus profond mépris. Je sais bien qu'avec de l'esprit il est aisé de jouer un homme sensible et même adroit ; mais j'en ai bien peu. Un cœur tendre fait tout mon mérite. Les femmes ont ordinairement l'âme plus délicate ; elles sont aussi plus essentielles, quand elles font tant que de l'être ; mais on ne les aime point ces femmes : on les fuit, on écoute peu leur bonne morale, une bonne éducation n'accompagne pas toujours, comme vous le prétendez, les grâces et l'esprit ; et ce qu'on appelle précisément dans le pays bonne compagnie, est très souvent la plus mauvaise et la plus mal élevée.

Revenons donc à l'excuse que je vous dois. *On a plaisanté grossièrement,* le jeu vous a paru *très peu piquant.* Si c'est un *mauvais plaisant* qui *s'alambique l'esprit pour donner très gauchement les couleurs de la vérité,* vous avez été plus gauchement attrapé et plus grossièrement pris dans ses pièges. Puisque vous le condamnez, je le blâme ; mais nous sommes deux femmes : deux intentions bien différentes nous font agir ; si vous pouviez saisir la bonne, vous feriez grâce à la mauvaise. Je ne vous aime point pour moi ; c'est pour vous seul, pour votre gloire. Vous ne me croirez point, si je vous dis encore que des raisons bien puissantes m'ont privée d'aller à la comédie par bienséance. J'ai fait des réflexions sérieuses ; j'ai craint votre indiscrétion : j'ai tremblé de vous perdre : vous voulez une jolie, belle et aimable femme, privée de quelques-uns de ces dons, vous me trouveriez horrible. Une autre vous vanterait peut-être quelques faibles attraits, une âme pure et sensible ; mais est-ce assez pour fixer un cœur comme le vôtre.

Ah ! mon amie a bien raison : « Si je l'aimais, dit-elle, le petit ingrat se jouerait de ma tendresse et ferait trophée partout de mes tourments. » Ah ! peut-être elle est plus sage que moi de penser ainsi. Votre dépit, votre colère, n'est pas l'effet de l'amour ; c'est l'amour-propre humilié chez vous qui vous désespère ; vous croyez aimer sérieusement, parce que vous avez trouvé dans la résistance des sensations nouvelles, aussi je tâcherai d'étouffer mes sentiments dans leur naissance. D'ailleurs, vous n'avez jamais soupiré pour moi ; vos intentions furent pour toute autre, et non pour le secrétaire dont vous parlez avec tant de mépris, qui n'a plus les grâces de la jeunesse, ni une jolie figure en partage. Je pourrais, sans trop d'amour-propre, triompher d'une aussi fausse erreur, mais je me crois laide, maussade et vieillie, puisque vous le voulez : si vous le jugez à propos, je serais encore hypocondre, bossue, chassieuse : ce portrait est-il fait pour vous séduire ? que sait-on ? il y a bien de la bizarrerie dans votre fait ; un tel modèle peut piquer l'amour-propre d'un petit-maître[1]. Il n'y a que de ce côté qu'on peut les prendre.

1. Le terme remonte au XVIᵉ siècle, où les jeunes gens de la plus haute noblesse s'appelaient ainsi entre eux. Le mot revient à la mode vers 1685-1690 et le reste au XVIIIᵉ siècle pour désigner, selon Voltaire, « la jeunesse impertinente et mal élevée ». Vers 1685, les petits-maîtres étaient de jeunes seigneurs compagnons de débauche, qui choquaient par leur tenue et leur comportement avec les femmes. Vers 1740-1750, le petit-maître guerrier de 1695 et le petit-maître galant de 1730 sont relayés par le petit-maître esprit fort, qui sera lui-même éclipsé par le « philosophe ». Voir Marivaux, *Le Petit-Maître corrigé*, éd. F. Deloffre, Genève, Droz, 1955 ; L. Sozzi, « Petit-maître e giovin signore », dans *Saggi e ricerche di letteratura francese*, XII, 1973, p. 191-230.

Qu'allais-je devenir sans votre lettre, qui m'a découvert le fond de votre âme et m'a développé votre caractère. Ce n'est plus cette amabilité, cette douceur d'esprit qui régnait dans vos phrases ; c'est de l'emportement, de l'humeur mal entendue ; et quoique je blâme mon amie de ne rien sentir pour vous, je vous blâme beaucoup plus qu'elle aujourd'hui que je vous connais mieux. Vous vous êtes toujours attiré ce qui vous arrive : pourquoi donc vous en plaindre si maussadement ? regardons donc tout ceci comme un songe, et pour mon compte, je m'applaudis de n'avoir eu qu'une erreur ; je me suis échappée au bord du précipice ; vous m'avez fait voir le danger, et je vous en sais bon gré. Qu'il en coûte à ma raison d'obtenir le triomphe sur mon cœur ! Il est si doux d'aimer, mais qu'il est cruel de ne pas l'être ! L'amour, même sans estime, est un sentiment nécessaire ; et vous apprendrez un jour qu'un véritable amour naît de la confiance. Il n'existe point dans un penchant idéal, mais dans la même manière de sentir et de voir. Vous n'avez vu ni moi, ni mon amie, et je ne crains pas que vous aimiez plus l'une que l'autre.

Je m'entretiens avec vous trop longtemps, puisqu'il est décidé qu'il faut renoncer à vous. Adieu l'homme le plus aimable, mais le plus dangereux.

Celle qui vous aimera encore longtemps.

LETTRE XXIII

*Du marquis de Flaucourt à Mme de Valmont,
sous le nom de la dernière Inconnue*

Que votre lettre semble bien porter tous les caractères de la vérité, si ce n'est qu'un jeu. Comment peut-on, d'une manière si vraie, donner à son style les couleurs du sentiment. Oui, sans doute, on prend mon cœur par son faible, pour mieux abuser de sa crédulité. Je n'ai jamais cru au bonheur. Si cette nouvelle scène n'était point un nouveau piège, je serais trop heureux : elle est agréable, puisqu'elle m'intéresse. Si c'est encore une illusion, elle enchante mon cœur, et le plaisir de se croire aimé est si doux pour moi, que l'ombre même me paraît suppléer un peu à la réalité ; qui que vous soyez, prolongez mon erreur, si c'en est une ; je perdrais trop à être éclairci. Que la chimère du bonheur flatte encore mon espérance ! laissez-moi la jouissance d'un fantôme qui me plongerait dans la tristesse et l'indifférence s'il s'évanouissait. Jusqu'ici, mon amour-propre est peu blessé du ridicule qu'on m'a donné ; on n'est point méprisable pour être sensible, et la femme qui s'est assez avancée pour me tromper avec tant d'art, l'est sans doute plus que moi. Quoique je crusse que je l'aimais, la réflexion m'a bientôt corrigé, et à présent je rougis de mon amour. Je croyais connaître son secrétaire ; je croyais même avoir vu ses traits de bien près, je suis presque certain qu'il est venu, déguisé en soubrette, remettre une lettre à ma porte, et c'était à lui que s'adressait le ton épigrammatique qui a régné dans mes dernières lettres. Vous devriez bien avoir vu que ma dernière épître n'était point une réponse à la vôtre. J'étais absent lorsque votre commissionnaire est venu, et on lui a remis un paquet qui était cacheté depuis deux jours, je me faisais un plaisir de persifler[1] Mme de V*** qu'on m'avait dit être l'interprète, et la vengeance me paraissait permise.

Je puis être joué encore : ce secrétaire aimable qui n'est plus cette Mme de V*** n'est peut-être pas davantage l'organe de la vérité ; mais il y a une si grande apparence de franchise, que j'agis avec lui comme si j'y croyais. S'il est tel qu'il l'annonce, qu'il soit bien sûr qu'il sera aimé. La reconnaissance m'attachait à lui autant que l'amour, et il m'inspirerait bien promptement des sentiments qui n'existent pas encore, puisque je ne le connais pas. Trouver à la fois une maîtresse ; c'est un bonheur si rare que je n'épargnerais rien pour le conserver ; adieu, très singulière Inconnue.

Qui que vous soyez, vous êtes fort aimable, et si vous avez de la jeunesse et de la beauté, je félicite celui qui aura ou qui a déjà le bonheur de vous plaire. Je n'ai pas l'amour-propre encore de croire que je sois cet heureux mortel ; mais je suis très impatient de débrouiller une aventure qui, soit une

1. Persifler, c'est, selon le *Dictionnaire de l'Académie* (1762) : « Rendre quelqu'un instrument ou victime de la plaisanterie par les choses qu'on lui fait dire ingénument. » Sur l'emploi de ce mot, voir W. Krauss, « Zur Wortgeschichte von *persiflage* », dans *Perspektiven und Probleme zur französischen und deutschen Aufklärung und andere Aufsätze*, Berlin, 1965, p. 296-330 ; L. Versini, *Laclos et la tradition*, Paris, 1968, p. 354.

plaisanterie, soit une chose sérieuse, devient trop longue. Adieu, mystérieuse Inconnue. J'attends de vos nouvelles avec un vif désir. Il serait inconcevable que nous fussions brouillés avant de nous connaître.

LETTRE XXIV

De Mme de Valmont
au marquis de Flaucourt, son frère

Vous êtes bien triste, mon cher frère, et beaucoup plus qu'à l'ordinaire. J'ai souvent eu le talent de vous faire rire ; mais dans ce moment mes efforts sont inutiles. Vous m'attristez, moi, qui suis si gaie naturellement. Vous êtes donc bien amoureux ? quoi ! parce qu'on n'a pas répondu à votre dernière lettre, vous voilà désespéré. Cette conduite vous prouve assez que tout cela n'était qu'un jeu : vous ne pouvez le croire, dites-vous. Si vous me promettiez de ne pas m'en vouloir et de prendre en homme d'esprit cette plaisanterie, je vous convaincrais de tout. Croyez que j'ai la preuve en main, et que ceux qui vous ont trompé avaient de bonnes intentions. On vous a débarrassé de cette petite créature ; puissiez-vous de même vous défaire du perfide La Fontaine et reconnaître un jour vos vrais amis.

Je vous dirai plus, j'aurais souhaité que l'aventure du bal eût été véritable et qu'une femme délicate et sensible eût pu vous fixer ; qu'elle eût obtenu de vous le congé de votre horrible confident. Je n'ai point commis d'indiscrétion comme vous l'avez cru, au sujet de la jeune personne qui s'est retirée dans un couvent pour vous. Je la plains si elle est honnête ; je n'aurai à rougir que pour vous, si vous cherchez à la corrompre. L'on m'a assuré que pour vous venger de l'aventure du bal, vous l'aviez fait venir dans ce pays, et que même vous aviez mis près d'elle ce pernicieux La Fontaine, je souhaite que cela soit faux.

Mais laissons cette conversation. Je ne vous en parle que pour votre bien. Les liens du sang, qui nous unissent malgré le préjugé, autorisent notre attachement et rien ne pourra le rompre. Mon père m'a abandonnée dès mon enfance ; mais vous me jurez une amitié inviolable ; je dois donc désirer votre bien comme le mien.

J'ai suivi vos conseils, mon cher frère, auprès de l'auteur de mes jours. Voilà la lettre que je lui écris ; elle était gravée dans mon cœur depuis longtemps. S'il y a quelque chose qui puisse vous déplaire, vous me le direz : adieu, mon frère ; venez dîner avec moi demain : nous parlerons de choses plus essentielles que vos aventures.

LETTRE XXV

De Mme de Valmont
au marquis de Flaucourt son père,
en Languedoc

En prenant la plume pour vous écrire, je me sens agitée de tant de divers sentiments, que je ne sais par où commencer. Je désire, je crains, je n'ose m'expliquer avec vous.

Mais ma fausse honte et ma timidité naturelle m'ont trop fait garder un silence que mon cœur désapprouve. C'est assez lutter contre moi-même ; le sentiment l'emporte aujourd'hui, et je ne peux m'empêcher de vous dire que je suis celle dont la voix publique vous a nommé le père. Personne ne doit mieux savoir que vous, Monsieur, la vérité d'un fait que tout le monde a su et reconnu dans le temps. Au respect et à la tendresse que je ressens pour vous, je n'en puis douter, mais j'ai encore d'autres raisons pour en être persuadée ; c'est l'aveu de ma mère. Le peu de ressemblance que j'ai avec ses autres enfants[1], soit dans la figure, soit dans la façon de voir et de penser, l'assurance de toute votre famille, les témoignages de tendresse que vous m'avez prodigués dans mon enfance, le doux nom de votre fille que vous me donniez alors, le plaisir que vous aviez à l'avouer à tous vos amis. Si j'ose en croire ceux qui veulent flatter mes inclinations, j'ai dans la figure et le caractère plusieurs traits de ressemblance

1. Anne Olympe Mouisset et Pierre Gouze eurent quatre enfants, un garçon et trois filles.

avec vous, qui ne permettent pas de douter de ce que je suis ; mais encore une fois le penchant de mon cœur est pour moi la meilleure preuve.

Je ne parle point de l'esprit, il y aurait trop de vanité à vouloir ressembler en ce point à l'auteur de D***[1] au fameux auteur de tant de beaux ouvrages qui font la gloire de la nation, et qui vous rendront immortel. On prétend néanmoins que j'ai dans ma façon une tournure qui ne vous est pas étrangère, et à laquelle l'éducation aurait peut-être pu donner un poli et des grâces qui n'eussent pas été tout à fait indignes de leur source ; mais hélas ! vous le savez : mes premières années n'ont été que trop négligées, et ce n'a pas été votre faute. Une tendresse excessive a fait mon malheur. Ma pauvre mère... c'est tout ce que j'ai à vous reprocher ! Pardonnez-moi, Monsieur, d'inculper une personne qui vous fut chère et qui me l'est infiniment à moi-même, malgré ses torts envers moi. Depuis ma plus tendre jeunesse, mille événements bizarres, et mon malheureux sort, n'ont pas permis que vous prissiez intérêt à mon existence ; souffrez, Monsieur, que j'entre là-dessus avec vous dans quelques détails.

J'avais à peine quatorze ans, vous vous en souviendrez peut-être, que l'on me maria à un homme que je n'aimais point[2], et qui n'était ni riche, ni bien né. Je fus sacrifiée sans aucunes raisons qui pussent

---

1. La tragédie de *Didon*.
2. Elle a seize ans, et non quatorze, lorsqu'elle épouse, le 24 octobre 1765, Louis Yves Aubry, traiteur de l'intendant de la généralité de Montauban.

balancer la répugnance que j'avais pour cet homme. On refusa même, je ne sais pourquoi, de me donner à un homme de qualité qui voulait m'épouser, je me sentais dès lors au-dessus de mon état, et si j'avais pu suivre mon goût, ma vie aurait été moins variée et il n'y aurait de romanesque que ma naissance ; mais vous savez le reste, Monsieur.

Forcée à fuir un époux qui m'était odieux[1], et poussée par les conseils d'une sœur[2] et d'un beau-frère, à venir habiter la capitale ; c'est dans ce gouffre de bien et de mal, que sans titres j'ai tenu une conduite régulière. Renfermée dans un petit cercle d'amis, avec toute la décence que se doit une femme qui se respecte, il serait inutile de vous dire que je n'ai point été sensible ; je tiens de vous au moins par le cœur. Je me suis toujours piquée de délicatesse et elle a même souvent nui à mes intérêts. Le sentiment est respectable, mais à Paris, vous le savez, Monsieur, ce n'est point par lui qu'on parvient à la fortune. Je n'ai point de regret ; je fais tous les jours de nouveaux sacrifices, et je commence même à être philosophe à un âge où les femmes jouissent le mieux des plaisirs.

Quelques protecteurs assez puissants daignent s'intéresser à mon sort et à celui de mon fils[3]. Je

1. Il ne s'agit pas d'une fuite, mais d'un veuvage : Louis Yves Aubry était mort en 1766.
2. Jeanne, sa sœur aînée, avait épousé, le 28 décembre 1756, à quinze ans, le médecin Pierre Reynard et le ménage s'était installé à Paris, où Olympe les retrouvera.
3. Le protecteur peut être le duc d'Orléans, futur Philippe Égalité, à qui est dédiée, en 1788, l'édition des *Œuvres* d'Olympe de Gouges. Son fils, Pierre Aubry, est né le 29 août 1766.

n'importune pas souvent leur crédit. Je n'aime pas la foule, l'éclat et le grand monde. Je vis satisfaite du peu que j'ai, et je suis contente si mon fils est heureux.

Quel est donc le but de ma lettre ? J'ai eu l'honneur de vous le dire, dès le commencement, Monsieur. Ce n'est point à votre fortune que j'en veux. Mon unique intention, en vous écrivant, est de soulager mon cœur d'un poids qui le surcharge depuis longtemps : c'est un besoin pour moi de vous témoigner ma tendresse. Je m'en veux d'avoir tant différé à remplir un devoir aussi doux. Ah ! Monsieur !... Mon père !... Qu'il me soit permis de vous appeler de ce nom, ne refusez pas un cœur qui vous est dû à tant de titres. Que le vôtre daigne s'ouvrir au sentiment de la nature qui doit parler en ma faveur. Voyez en moi votre fille ; j'en ai toute la tendresse ; agréez-en le témoignage, et rien ne manquera à mon bonheur... Rien... je me trompe... Ah ! oui, sans doute, il y aurait un moyen d'ajouter à ma félicité, et ce moyen, Monsieur, est dans vos mains ; ce serait de faire quelque chose pour ma pauvre mère, et de la mettre à l'abri des horreurs de la misère dans ses vieux jours. Jusqu'à présent, elle n'a manqué de rien ; je l'aime trop pour cela ; mais mes moyens sont si bornés, que le dernier sacrifice que j'ai fait pour elle m'a réduite à des besoins bien urgents. Daignez, Monsieur, vous souvenir d'elle. Elle vous est attachée par tant de liens qui unissent votre famille à la nôtre, que quand la nature n'y serait pour rien, elle a des droits assez puissants sur votre âme pour que vous ne l'abandonniez point.

Vous et M***[1] avez été élevés par sa mère et par son père ; une de vos nièces m'a tenue sur les fonts baptismaux[2] et vous y avez présenté ma mère. Si ce ne sont pas là des droits sacrés pour un homme pieux, je ne sais ce qui pourrait faire impression sur lui.

Je m'en rapporte à vous, à votre probité, à la justesse de votre esprit et plus encore à la bonté de votre cœur. Si votre piété se trouve alarmée des souvenirs que je lui offre, elle ne peut étouffer les cris du sang ; elle ne peut vous empêcher de vous rendre à des devoirs (excusez ce terme) imposés par la nature. Qu'il me soit permis de vous représenter encore ce que la religion vous prescrit à cet égard : songez quel engagement vous avez pris en présentant ma mère sur les fonts de baptême : vous avez répondu de son existence physique et morale.

Qu'on était loin de penser alors qu'un jour la nécessité vous rappellerait ce devoir ! Eh ! quels égards ne doit-on pas à son âge ? Si je ne vous demande rien pour moi, faites du moins refluer, sur la mère, une partie des bienfaits que la fille avait quelque droit d'attendre de vous. Si je suis votre enfant, quoique la loi ne l'avoue pas, je ne dois point vous en être moins chère, et vos obligations ne sont pas moins sacrées envers moi, qu'envers ma mère.

1. L'archevêque Jean Georges Lefranc de Pompignan.
2. Olympe de Gouges fut baptisée le 8 mai 1748. Sa marraine se nommait Marie Grimai. Plus loin, Olympe nomme cette marraine la marquise de C***.

Oui, Monsieur ; je m'en flatte ; vous serez sensible aux tendres supplications que j'ose vous adresser pour une mère malheureuse. Si la délicatesse de votre conscience s'effrayait du motif qui pouvait vous y déterminer, je ne réclamerais, en sa faveur, que votre charité. Je sais avec quelle prodigalité vous répandez, sur les pauvres, les richesses que le Ciel vous a accordées[1]. Eh bien ! ma mère est pauvre, et très pauvre ! Elle a donc des droits à votre bienfaisance, et elle ne vous demande, par mon organe, que des grâces que vous accordez à des êtres indifférents, pour lesquels vous n'avez que les sentiments d'une charité chrétienne. Comment lui refuseriez-vous des preuves de cette douce sensibilité que vous avez montrée dans tous vos ouvrages, et que la religion a épurée, en en réglant le principe. Non, l'auteur de *D**** ne peut avoir cessé d'être sensible et tendre, et la piété n'a pu qu'accroître ses vertus qui le font admirer.

Après avoir plaidé la cause de ma mère, me serait-il permis de plaider la mienne ? Vous êtes ma divinité sur la terre, et je demande que vous ne soyez pas insensible pour moi, comme l'intelligence suprême.

---

1. Retiré dans ses terres, Lefranc se fit en effet une réputation de bienfaiteur des pauvres. Voir T. E. D. Braun, *Un ennemi de Voltaire. Lefranc de Pompignan*, *op. cit.*, p. 57.

LETTRE XXVI

*Du marquis de Flaucourt
à Mme de Valmont, sa sœur*

Je ne puis aller qu'après-demain, ma très chère sœur, dîner avec vous. Je vous renvoie votre lettre à notre père. Elle est très bien, on y reconnaît votre sensibilité et celle de l'auteur de nos jours. Si les années et les souffrances l'ont éteinte, la voix de la nature la fera revivre dans son cœur.

Je viens d'écrire à mes oncles en votre faveur. Je n'épargne rien vis-à-vis M***, et autant que j'ai pu me le permettre, je lui représente les droits de votre famille sur la nôtre. Vous voyez par là, ma chère sœur, que rien ne peut altérer l'amitié que j'ai, et que j'aurai toujours pour vous.

Je commence à me consoler de mes Inconnues, et vous seriez fort aimable, si vous me faisiez connaître celles qui se sont si bien amusées à mes dépens. On avait voulu d'abord me persuader que c'était vous-mêmc ; mais ce propos m'a paru si absurde, que je n'ai pas voulu m'y arrêter. Le vicomte de L***, grand connaisseur, prétend reconnaître votre style ; je crois au contraire qu'il n'y a pas une phrase qui puisse le faire soupçonner ; je m'y connais mieux que lui, et il ne m'en imposera pas sur cet article. Vous me l'assureriez vous-même, que je n'en croirais rien. Je voudrais bien n'avoir été mystifié que par vous : on ne me plaisanterait pas dans tout Paris. Le vicomte prétend encore que c'est moi qui ai divulgué cette aventure, et que, sans mon imprudence, on l'ignorerait parfaitement. Enfin, ma chère sœur, vous me paraissez très instruite de tout ce qui se débite sur mon compte. Faites m'en donc connaître les auteurs ; je vous promets de garder le secret.

Adieu, ma chère sœur, nous nous verrons après-demain.

LETTRE XXVII

Du marquis de Flaucourt
à Mme de Valmont, sa fille

Votre lettre, Madame, a réveillé mes douleurs et mes inquiétudes sur le passé. Quel temps avez-vous attendu pour vous rappeler en mon esprit ! Mes années, mes infirmités et la religion, m'ont forcé d'éloigner, de mes yeux, les objets qui me rappelleraient les erreurs d'une trop coupable jeunesse. Je crois, sans effort, et trop malheureusement pour moi, que vous ne m'êtes pas étrangère ; mais vous n'avez aucun droit pour réclamer, auprès de moi, le titre de la paternité. Vous êtes née légitime, et sous la foi du mariage. S'il est vrai cependant que la nature parle en vous, et que mes imprudentes caresses pour vous, dans votre enfance, et l'aveu de votre mère, vous assurent que je suis votre père, imitez-moi, et gémissez sur le sort de ceux qui vous ont donné l'être. Dieu ne vous abandonnera point, si vous le priez sincèrement. J'oublie entièrement tout ce que me fit l'infortunée Olinde, et je ne me rappelle que des droits sacrés que la religion me prescrit. Vous pouvez vous rassurer sur son sort. Je prendrai soin de son existence ; et si la mort que j'attends comme un don favorable, venait mettre fin à mes tourments, et suspendre mes intentions, ma digne épouse, dans le sein de qui je crains de les déposer, exécutera mes dernières volontés. Ses rares vertus, sa piété exemplaire, acquitteront, mieux que moi, des dettes qui, en déchargeant ma conscience, ne la blesseraient pas moins. Soyez convaincue de son équité et de sa bienfaisance. Si les infortunés ont des droits à sa charité, votre mère et vous ne serez pas oubliées. Voilà, Madame, tout ce que je puis vous promettre, et je voudrais faire beaucoup plus pour vous ; mais que pourrais-je dans l'état de souffrance où je me trouve ? Ma plus chère consolation est actuellement ma digne et respectable épouse, qui me console dans mes maux, et qui ne me quitte pas d'un instant. Elle m'a appris à ne penser que par elle, et, avec ses bons principes, la grâce de Dieu ne m'abandonnera point. Je supporte mes douleurs avec patience. C'est à cette digne épouse que ma fortune, mes ouvrages, mes bienfaits sont remis. Elle fera du tout un bon usage, j'en suis sûr.

Adieu, Madame. On va s'occuper d'Olinde, ma filleule. Si mon frère, que j'attends dans ma terre, arrive bientôt, je la lui recommanderai comme sa sœur de lait.

J'ai l'honneur d'être,

LE MARQUIS DE FLAUCOURT

LETTRE XXVIII

Du comte de*** à Mme de Valmont

Qu'ai-je appris, Madame ? qu'ai-je lu ? Je ne vous parle point de l'amusement que vous avez pris à rappeler un frère qui venait de s'égarer, au centre de la bonne compagnie, et aux bons principes qu'il avait reçus. Tout ce qui le concerne jusqu'à présent, n'a rien qui m'indigne à son sujet ; mais votre père, votre père, Madame, qui vous écrit avec un style religieux et le ton de la bienfaisance, est sourd au pouvoir de la nature ! Son cœur est éteint ; il semble n'avoir une âme que pour son Dieu... Ce Dieu, peut-il inspirer tant de cruauté ? Et la barbare épouse qui abuse de sa faiblesse et le tient dans l'erreur à ses derniers moments, ne doit-elle pas paraître plus coupable à ce Dieu juste, dont le vrai culte n'a jamais prescrit la cruauté envers ses semblables ? Quels sont donc les livres et les lois que ces gens pieux suivent ? le fanatisme entraînera-t-il donc toujours les abus les plus odieux, l'inhumanité, la barbarie, l'ingratitude la plus noire et la plus atroce, enfin la division de la nature entière ? Pardonnez-moi, Madame, si, malgré moi, un mouvement d'horreur me révolte et m'indigne contre celui qui devait s'applaudir de vous avoir pour fille. Je ne connais son fils que par les lettres et par les vers qui portent son nom. Il n'est pas plus son rang et ses entrailles que vous ; mais j'assurerais qu'il ne vous égalera jamais en vertus et en mérite. Il a cependant bien de la supériorité sur vous ; un nom, de la fortune, l'avantage d'une riche éducation : malgré cela, vous obtiendrez plutôt que lui, l'estime du public, et la bienveillance de toutes les puissances de la terre.

Oui, sans doute, Madame, je juge de la véritable façon de penser de l'homme par mes principes. Vous devez intéresser tout l'univers à votre sort.

Vous palliez leurs torts, et vous déguisez ce qui devrait les faire reconnaître ; et pourquoi épargner encore des monstres qu'on devrait étouffer. Je ne vous réponds pas que la franchise et la sensibilité de l'auteur ne vous décèle, en dépit de cette bienséance déplacée, que vous avez gardée trop longtemps en faveur de cette famille ingrate. Je n'arriverai qu'après-demain à Paris. J'ai frémi d'être retenu pour plus longtemps à Versailles, comme je l'avais annoncé à mes amis. Mon premier soin sera de me rendre chez l'auteur, où j'espère vous rencontrer. Nous causerons de tout ce qui vous concerne. Je me flatte que vous suivrez mes conseils. Ils sont fondés sur l'amitié, l'estime, et sur l'intérêt que vos malheurs inspirent à tous ceux qui les connaissent comme moi.

J'ai l'honneur d'être, Madame, avec l'attachement le plus inviolable,

LE COMTE DE***

LETTRE XXIX

De Mme de Valmont au comte de ***

Voilà ce que j'avais prévu, Monsieur le comte ; et vous justifiez bien mes craintes. Si le public pense comme vous sur des personnes dont la cruauté m'a forcée à dévoiler les actions, quelle idée prendra-t-il de moi, et ne croira-t-il pas que j'ai plutôt cherché la célébrité, que les moyens de toucher des âmes dévouées à Dieu et à la miséricorde ? Ah ! si je n'avais pas tout employé, si je n'avais pas en main la preuve de la plus grande soumission de ma part, je croirais m'être trompée dans mes aveux, comme j'ai été induite en erreur, quand j'ai pu espérer que la nature aurait son pouvoir sur un père et sur un frère ; quand j'ai pu compter sur la parole, sur la probité d'une femme pieuse, et quand j'ai dû me rassurer sur l'appui, sur la bienveillance d'un père de l'Église.

Sans doute, me disais-je, il l'est de tous les pauvres ; mais ma mère, sa sœur de lait, sera préférée à cette charité chrétienne. Il n'avilira point celle qui n'était point née pour mendier des dons populaires. Des pertes considérables, et de malheureux procès pourront-ils la rendre méprisable à leurs yeux ? Avec quel empressement ne voleront-ils pas au-devant de ses malheurs ? Ils font, tous les jours, des charités, ils répandent des bienfaits sans nombre. Leur cœur est le sanctuaire de tous les infortunés.

Voilà, Monsieur le comte, comme je colorais mon faux espoir : je m'enivrais de ces douces rêveries, jusqu'à l'instant qui devait les réaliser. Deux ans de constance et de prières n'ont pu obtenir de leur part que de fausses promesses. Je vais faire connaître au public le comble des mauvais procédés, l'abus de la confiance que j'avais en eux, leur cruauté, leur odieuse hypocrisie. Enfin révoltée, indignée contre leur inhumanité, il ne me reste plus que la fierté ou la vertu de taire le mot essentiel au public ; et cette considération de ma part n'est due qu'à leur cendre que je respecte.

Ô père, le plus coupable ; mais le plus à plaindre ! Il fut grand, généreux, sensible. L'excès du fanatisme empoisonna toutes ses vertus, et comme vous l'avez bien défini, son épouse a fait tout le mal. Incapable de le réparer, se faisant des efforts pour croire coupables des malheureux qui devraient l'intéresser, elle fait de fausses promesses, elle irrite les maux de l'indigence par un espoir trompeur. Voilà comme cette femme pieuse, couverte d'un voile, actuellement répand la fortune que la Providence aveugle lui a donnée, et comme elle acquitte les dettes qui chargent la conscience de son époux. Vous allez voir quel usage elle fait de ses richesses, d'après la lettre que j'ai écrite à M. l'abbé de P***, homme d'esprit, qui joint à ses lumières les vertus douces d'un véritable homme d'Église. Il peut me rendre justice, d'après toutes les démarches que j'ai faites auprès de lui, et qu'il m'a assuré n'avoir pas négligées auprès de la marquise de Flaucourt. Il n'a jamais pu obtenir d'elle que la promesse de faire du bien à celle qui m'a donné le jour ; et vous allez voir bientôt, Monsieur le comte, quel a été le fruit de ces prétendus bienfaits.

LETTRE XXX

De Mme de Valmont à M. l'abbé de P***

Il est donc décidé, Monsieur l'abbé, que Mme la marquise ne tiendra pas ce qu'elle a promis depuis si longtemps. Pourra-t-on jamais croire qu'une femme vertueuse, qui s'est dévouée toute à son Dieu, se fasse un jeu de réduire les infortunés aux dernières souffrances, de promettre de les soulager, et d'accroître leurs tourments par une espérance trompeuse ? Tout à son terme, Monsieur l'abbé, et je craindrais, à la fin, de devenir indiscrète, si je vous importunais davantage. Mme la marquise n'a jamais pensé, quoiqu'elle l'ait promis, à faire du bien à la personne que son époux a rendue si malheureuse. Je ne parle pas de moi ; j'ai trop d'orgueil et trop de fierté, pour réclamer mes droits, et c'est déjà un très grand malheur que de me voir forcée à faire valoir ceux de ma mère.

Qui peut mieux que vous, Monsieur l'abbé, rendre justice à ma persévérance, à ma soumission ?

Si M. le marquis de Flaucourt n'a pas rendu avant sa mort ce qu'il devait à ma mère, s'il n'a pas adouci sa misère dans sa vieillesse, la faute en est à sa cruelle épouse, à qui il en a remis le soin. Si j'avais eu les sentiments assez bas, pour composer mon visage et ma conversation avec les couleurs de l'hypocrisie, j'aurais sans doute intéressé cette femme fanatique. Les vrais dévots sont bons, plaignent ceux qui sont dans l'erreur, ou qui y ont été, font le bien indistinctement pour le plaisir de le faire, et ma mère a été la seule qui n'a pas touché sa commisération. Lorsqu'elle prépara son époux à paraître devant l'Être éternel, elle n'eut devant les yeux que de faire laisser des pensions à toute sa maison. Le moindre domestique eut six cents livres de retraite ; et lorsqu'il voulait s'occuper des dettes qui surchargeaient sa conscience, elle lui fermait la bouche et l'empêchait de continuer, en lui persuadant que ce n'était pas à lui à s'en occuper ; qu'elle y veillerait et qu'elle prierait Dieu pour lui. M. le marquis, ou, pour mieux dire, mon père, me l'annonça dans une réponse à une de mes lettres et dans laquelle il fut forcé de reconnaître la vérité ; et voilà comme cette respectable veuve s'acquitte des intentions de l'époux qui avait mis toute sa confiance dans ses vertus.

Permettez-moi, Monsieur l'abbé, de vous faire part de la lettre que je lui ai écrite la veille qu'elle prit le voile, et la réponse que j'en ai reçue ; réponse cruelle pour moi, mais satisfaisante pour ma mère… que dis-je ? oui, elle était mille fois plus cruelle pour celle qui m'a donné le jour de lui annoncer l'heureuse nouvelle que Mme la marquise, avant sa retraite, avait donné des ordres pour qu'on lui fît tout le bien dont elle avait besoin… quel en fut le résultat !…

Moi-même, me reposant sur la lettre de Mme la marquise, je jouissais de la douce satisfaction de savoir ma pauvre mère heureuse, quand j'appris, par une main étrangère, qu'elle venait d'éprouver une attaque d'apoplexie qui l'avait réduite dans un état de souffrance désespérant, et que les besoins les plus urgents aggravaient encore ; qu'elle était sans secours ; qu'on connaissait mon cœur, et qu'on se hâtait de me faire part de cette fatale nouvelle.

Non, Monsieur l'abbé, non, je ne pourrais jamais vous peindre mon désespoir en lisant cette lettre, et l'horreur que tous les gens dévots produisirent, en ce moment, sur mon esprit ; Dieu même me parut un être imaginaire, ou fait pour le supplice du genre humain, et inventé par l'ambition. Ce Dieu généreux me doit pardonner si je l'offense ; et ceux qui m'ont portée à cet excès de délire, sont plus fautifs que moi.

Pourquoi cette femme pieuse et charitable a-t-elle promis elle-même, à ma mère, de prendre soin d'elle jusqu'à la fin de ses jours ? pourquoi m'a-t-elle réitéré cette promesse, par écrit, la veille qu'elle a pris le voile ? et pourquoi a-t-elle donné, en quittant le monde, trois cent mille livres aux couvents, ou à ceux qui ont su la tromper, sans songer à acquitter les dettes de son époux, et ses engagements ?

Ce n'est que d'elle que je me plains. Je veux dévoiler au public son hypocrisie, son fanatisme et sa cruauté ; et si je l'ai ménagée jusqu'à ce moment, ce n'est que par respect pour celui qui me fut si cher, et dont j'honore la cendre. Je crains même qu'on ne la reconnaisse au portrait que j'en fais. Car, qui ignore les extravagances et les petitesses d'une femme qui faillit faire perdre la tête à l'homme le plus méritant de son siècle, et qui, sans cette épouse, aurait terminé sa carrière avec bien plus d'éclat encore qu'il ne l'avait commencée, en nous laissant des productions précieuses et dignes de son génie, et de ses grandes lumières…

Croiriez-vous qu'elle fut assez impitoyable pour

livrer aux flammes, deux heures après sa mort, tous les ouvrages de ce grand homme… Cette pensée me révolte… Je ne dois plus la ménager, et l'austère vérité, plus que la vengeance, me porte à dévoiler toutes ses noirceurs. Ainsi, Monsieur l'abbé, il est inutile de me donner des espérances. La vieillesse, dans l'infirmité et dans les besoins les plus urgents, n'est pas soulagée par de fausses promesses ; il lui faut des secours les plus actifs.

Je vous communique toutes les lettres qui ont dû me forcer à mettre de la publicité à tant de mauvais procédés ; quoique déjà mes malheurs soient annoncés dans un sujet dramatique, j'aurais bien désiré qu'on ne m'eût jamais mise à même d'en donner la véritable relation. Voilà ce que produisent la cruauté et l'injustice.

J'ai l'honneur d'être, Monsieur l'abbé, avec toute la reconnaissance que je vous dois, pour vos bonnes intentions.

Votre très humble servante,

DE VALMONT

LETTRE

De Mme de Valmont à M***, son oncle

J'ai eu l'honneur de me présenter chez vous, Monseigneur, avec toute la confiance que doit inspirer un homme de votre caractère. Deux puissants motifs déterminaient ma démarche : le premier pour vous rappeler ma mère trop infortunée, et cependant votre sœur de lait ; le second pour jouir du bonheur de votre auguste présence. Mon cœur agité de divers sentiments m'ôta le moyen de m'exprimer comme je l'aurais désiré. Il me semblait que je n'avais jamais eu l'honneur de vous voir, mais à peine vous eus-je considéré que vos traits me rappelèrent parfaitement ceux de l'auteur de mes jours, qui étaient restés gravés dans mon âme depuis mon enfance. Je ne pus retenir mes larmes en vous approchant, ce qui fit, Monseigneur, que vous me prîtes pour une de ces infortunées que le hasard conduisait à votre charité chrétienne. Sans doute j'aurais obtenu de vous cette douce bienfaisance, si je n'avais été qu'une étrangère à vos yeux ; mais à peine je vous eus appris qui j'étais, que vous changeâtes de ton et d'aménité, vous parûtes me faire un crime de ce que je vous étais. Hélas ! ce n'est pas ma faute, Monseigneur, ni celle des auteurs de mes jours : ils furent jeunes ; la négligence de leurs parents, le pouvoir de l'amour, le penchant de la nature, qui rend l'homme si coupable, et dont on ne peut guère éviter les atteintes, ont fait de moi une de leurs victimes. Moi seule ai droit de me plaindre et d'inculper Monsieur votre frère ; mais je trouve tant de satisfaction à le justifier, que vous-même, Monseigneur, vous êtes autorisé sans considérer ni condamner le lien qui m'attache à vous, à remplacer le père que j'ai perdu : ne l'êtes-vous pas de tous les infortunés ? Qu'il est cruel pour un cœur sensible de se voir rebuté par ceux que l'amitié et le rang nous ont rendus si chers.

Mais ne parlons pas de moi, Monseigneur, si, en rappelant tous les droits que j'ai sur vous, j'alarme votre piété, qu'il n'en soit plus question. Sacrifiez la fille en faveur de la mère pour qui je réclame vos bontés et votre charité ; sera-t-elle la seule infortunée qui n'aura pas de droits à votre bienfaisance, et tous les liens qui l'attachent à vous seraient-ils autant de forfaits qui la rendraient, à vos yeux, la femme la plus coupable de la terre ?

Ah ! Monseigneur, cet affreux fanatisme n'a pu empoisonner votre âme ; elle est trop grande et trop pure ; et vous êtes un homme trop éclairé, et qui méritez, à trop juste titre, comme vous l'avez obtenu, le nom si recommandable de bon père de l'Église, que vous ne pouvez, par un travers absurde, écarter une brebis de votre troupeau. Si elle a pu s'égarer, c'est par une tendre clémence qu'il faut la ramener. Eh ! qui mieux que vous, Monseigneur, connaît l'importance de ce sage précepte que Dieu même nous a enseigné par ses paroles, ainsi que par sa conduite ! Et l'infortunée que je vous recommande est celle qui a sucé avec vous le même sein, qui a été élevée avec vous, dans vos premières années, qui était alors votre égale, votre sœur de lait, la filleule de votre frère, le marquis.

L'aisance dont sa famille jouissait alors, l'état recommandable de son père, qui le mettait dans le cas de n'être pas dédaigné par le vôtre, au point de le regarder même comme son ami. Votre nièce, la marquise de C***, élevée par une de mes tantes, nièce par qui j'ai été nommée sur les fonts baptismaux ; ma famille, unie à la vôtre depuis deux cents ans, je vous demande, Monseigneur, s'il peut y avoir des considérations aussi puissantes que celles que je mets sous vos yeux, et que vous ne pouvez révoquer en doute.

L'indigent a part à vos dons ; ma mère est dans une profonde indigence, et votre frère m'a promis, avant sa mort, de pourvoir à tous ses besoins ; je ne vous en rappelle le souvenir qu'en répandant un torrent de larmes, et, tel tort qu'il eut envers moi, je dois le chérir et respecter sa mémoire.

Mais vous, Monseigneur, qui lui survivez, qui avez fait exécuter ses dernières volontés, il n'y a qu'à l'égard de ma pauvre mère qu'elles n'ont pas eu d'effet. Mme la marquise, son épouse, a répété sa promesse verbalement, me l'a confirmée de nouveau par écrit, et les seuls bienfaits que nous ayons reçus, ma pauvre mère et moi, se sont bornés à de fausses promesses. Voilà, Monseigneur, comme cette veuve a rempli les intentions du plus vertueux et du plus sensible des hommes, mais que le cruel fanatisme a rendu faible et injustement crédule.

Si, après avoir exposé sous vos yeux, Monseigneur, tout ce qu'il y a de plus humain, de plus sensible, et de plus vrai dans la nature, je ne peux parvenir à obtenir de vous l'effet que je dois attendre de vos bontés, plus de bonne foi, plus de probité, plus d'humanité sur la terre. Eh, de quels hommes doit-on l'attendre dans le monde, si ceux de votre rang et de votre dignité ont le cœur inaccessible aux cris des malheureux.

C'est avec la cruelle alternative dans laquelle je me trouve avec vous, Monseigneur, que je n'ai pas moins pour vous tout le respect et l'attachement que je dois à une personne de votre caractère, et à qui je touche de si près. Je sens, dans mon cœur, tout le pouvoir de la nature, et c'est avec effort que j'en arrête les épanchements.

J'ai l'honneur d'être, Monseigneur, avec le plus profond respect, votre très humble et très obéissante servante,

De Valmont

LETTRE I

D'Olinde à sa fille, Mme de Valmont

J'ai reçu, ma très chère fille, tes deux chères lettres en date du 19 février dernier et 11 mars courant ; elles m'ont fait le plus grand plaisir ; je te prie de continuer à m'écrire, puisque ce n'est que par ce moyen que tu peux calmer les peines que je souffre de me trouver toujours éloignée de toi, ma chère fille, malgré que tu me promettes depuis bien longtemps de venir me voir.

Tu n'as sans doute pas l'idée parfaite de mon existence dans ce pays. Je dois te la donner en te peignant ma position, mais sans parler de tout ce qu'il en est : je connais ta sensibilité et je veux lui épargner beaucoup de détails qui certainement l'exciteraient trop. Rappelle-toi donc à chaque instant, ma chère fille, une mère qui ne pense qu'à toi, qui ne chérit sa vie que pour toi et malgré tous les soins qu'elle peut en prendre par rapport à toi, ne croit pas pouvoir en jouir longtemps sans toi. Tu lui as donné pendant quelque temps des secours qui lui étaient nécessaires ; tu as en cela satisfait ton cœur, et confirmé pleinement la juste idée que j'ai toujours eue de ton amour pour moi : j'en aurais besoin encore aujourd'hui, et plus que jamais, car je suis dans un âge trop avancé pour faire le métier que je suis obligé de faire pour me procurer de quoi subsister, et faire vivre aussi la petite orpheline que j'ai avec moi, et que je n'ai pas le courage d'abandonner. Tu n'ignores assurément pas que je ne suis pas née pour cet état, que je suis forcée de courir depuis le matin jusqu'au soir, tel temps qu'il fasse, avec mon paquet sous le bras ; et quel paquet, grand Dieu ! c'est néanmoins lui qui doit me nourrir, me loger, me vêtir, me chauffer, m'éclairer, etc., etc., etc.

Mais brisons là-dessus, ma chère fille, mon cœur aussi sensible que le tien ne peut plus y tenir, et je sens couler mes larmes ; je me bornerai donc à t'exhorter à garder les tiennes pour mon souvenir.

Je suis indignée de la manière avec laquelle ta sœur s'est conduite, et se conduit encore ; je n'aurais pu croire en mettant ma fille aînée au monde, qu'elle oublierait totalement un jour sa mère. Où a-t-elle donc puisé ses sentiments ? ce n'est certainement pas à ton école, puisque j'ai des preuves constantes qu'elle s'est étudiée à te les faire adopter. Ah ! tu n'es pas de ce sang, et je ne rougis plus de l'avouer. Le ciel tonnera peut-être tout à l'heure sur elle ; et il ne lui restera plus que le remords qui ne manquera pas de la ronger de la manière la plus cruelle, tandis que toi, ma chère fille, tu passeras des jours sereins et tranquilles, jouissant du plaisir que tu dois avoir toujours d'avoir fait tout le bien qu'il t'a été possible de faire, et de la considération de toutes les personnes honnêtes qui ne l'ignorent certainement pas.

Adieu, ma chère fille ; j'adresse, tous les jours, mes vœux au Ciel, pour qu'Il m'accorde la grâce de te revoir avant ma mort.

LETTRE II

D'Olinde à Mme de Valmont

J'ai reçu, ma chère fille, ta chère lettre, qui m'a fait un sensible plaisir, dans laquelle tu me blâmes beaucoup au sujet de mon long silence que tu attribues à Mgr***, ou à Mme la marquise de Flaucourt, ce qui n'est pas. Je n'ai pas manqué de remettre à Mme la marquise, les quatre lettres que j'ai reçues de toi, pour qu'elle en prît connaissance ; elles sont en son pouvoir. Mais la vérité est qu'elle chargea le capucin de me dire ce que je prétendais pour ma pension, et je lui fis répondre, verbalement, par le même capucin, son directeur, que j'accepterais ce qu'elle voudrait bien m'accorder ; et depuis son départ, je n'ai plus entendu parler d'elle. Voilà les bienfaits que j'en ai reçus, si ce n'est qu'elle m'a fait assurer, en quittant cette ville, qu'elle y laisserait des fonds pour satisfaire à tous mes besoins. J'ignore s'ils ont été remis dans des mains infidèles, ou si Mme la marquise a oublié d'effectuer ses promesses, mais je n'ai rien reçu de sa part ; et sans toi, ma chère fille, que deviendrais-je dans l'affreuse indigence où je suis réduite ? Adieu mon unique fille, car je peux bien dire que je n'ai que toi au monde, pourvu que mes besoins ne te jettent pas toi-même dans la détresse. Tes enfants[1] te sont aussi chers que moi, et j'ai peu de temps à vivre.

LETTRE I

D'un particulier en Languedoc
à Mme de Valmont

Madame,

Connaissant votre sensibilité et votre amour pour votre mère infortunée, je me hâte de vous faire part d'une triste nouvelle ; hier au soir, sur les neuf heures, elle éprouva une attaque d'apoplexie qui faillit la mettre au tombeau, mais rassurez-vous, Madame, elle est aujourd'hui hors de danger. Je dois cependant vous peindre, en peu de mots, sa malheureuse et triste situation.

Dans la saison où nous sommes, un hiver des plus rudes, votre mère, sans feu, sans garde, et manquant peut-être d'aliments, est dans son lit sans secours de personne, si ce n'est une jeune orpheline, dont les services impuissants peuvent à peine lui présenter un bouillon. Cette femme, âgée, et accablée par les infirmités, ne songe cependant qu'à vous ; elle s'écrie sans cesse : « Ô ma fille, ma chère fille, si tu connaissais la position où je suis réduite, quel serait ton sort ? » Elle voulait m'empêcher de vous en faire part, mais connaissant, Madame, vos rares

1. Elle a pu avoir, peut-être de sa liaison avec Jacques Biétrix de Rozières, un autre enfant que Pierre Aubry, et qui serait mort jeune.

vertus, et persuadé que vous ignorez l'extrême misère où elle est plongée, je m'empresse de vous en instruire, convaincu que vous me saurez bon gré de vous en avoir informée.

J'ai l'honneur d'être, avec respect, Madame,
Votre très humble et très obéissant serviteur***.

LETTRE II

*Du même particulier de la ville de ***,
en Languedoc, à Mme de Valmont,
et qui a écrit la précédente*

Madame,

D'après vos ordres, j'ai vu le capucin qui est en correspondance avec Mme la marquise de Flaucourt. Il est faux qu'il ait été chargé d'aucun bienfait pour votre mère. Vous trouverez ci-inclus la réponse que me fit M***, pour ceux de M***. Vous ne trouverez d'autre bienfait qu'un louis d'or, donné en novembre. Je vous laisse à penser quels sont les secours qu'elle en attend, et qu'elle doit en attendre.

Madame votre sœur a sans doute oublié sa promesse. Elle écrivit à Mme***, qu'elle ferait passer quelques secours à sa mère dans les premiers jours d'octobre, nous n'en avons encore aucun signe de vie.

Votre mère reçut, par le courrier qui portait votre lettre, cent vingt livres, du secours provenant de votre part. Ils arrivèrent bien à propos. On ne peut être plus sensible à vos bontés, aussi vous vous êtes attiré des éloges de toute la ville, et vous êtes citée par les mères comme l'exemple des filles.

Je suis, Madame, avec un profond respect, votre très humble serviteur***.

LETTRE

De Mme de Valmont à sa mère

Ma chère mère,

Je vois actuellement qu'il ne faut plus compter sur personne d'après la parole de Mme la marquise et celle de M. l'arch*** je devrais être tranquille sur votre sort. Il est donc reconnu qu'ils m'en ont imposé et que tous leurs bienfaits s'étendaient jusqu'à vingt-quatre livres ; ce service si médiocre dégrade ceux qui l'on rendu et avilit celle qui l'a reçu. Si par mes efforts et en me privant de tout je puis vous empêcher de manquer du nécessaire, je pourrais aussi faire l'effort de rendre à Monseigneur, votre frère de lait, le louis d'or dont il a bien voulu vous gratifier et dont l'action mémorable ne pourra jamais être assez citée parmi le nombre des bienfaits.

Ce n'est pas à moi à condamner ce respectable prélat, je livre la conduite de Monseigneur, à votre égard, aux réflexions de tous les hommes ; j'ajouterai que j'ai vu cet homme crossé et mitré qui m'inspira d'abord ce respect, cette vénération que nos ancêtres portaient à nos plus vertueux patriarches ; je m'attendais à une autre réception de sa part ; il me semblait que la candeur de son âme était empreinte sur ses traits, les sons qui sortaient de sa bouche étaient flexibles et durs ; semblable extrême ne m'était pas encore connu.

Je me disais en moi-même en le quittant, est-ce là cette âme dévote, ce cœur compatissant au sort des malheureux ? Ce mortel pieux qui enseigne la religion chrétienne ; ou du moins il l'exerce dans ses procédés ; mais non, c'est au contraire un homme vindicatif, qui prête l'oreille à la calomnie ; c'est par ses paroles que j'en suis convaincue.

« D'après les lettres que vous m'avez adressées à mon abbaye, m'a-t-il dit, j'avais projeté dans mon passage en Languedoc de faire du bien à votre mère, mais ce que j'en ai appris m'empêche de me mêler de vos affaires et des siennes.

— Ce n'est pas pour moi, Monseigneur, lui ai-je répondu, que je fais cette démarche, quoique je sente dans mon cœur que je ne vous suis pas étrangère, et qu'il m'aurait été bien doux d'avoir l'honneur de vous voir pour tout autre motif. Je ne sais si la religion, et si Dieu même, a commandé d'étouffer les cris du sang illégitime, mais la voix de la nature parle en moi, elle me dit que sa loi est celle que Dieu même a prescrite à l'homme. C'est à ce titre, Monseigneur, que je me présente chez vous, c'est avec ses droits, quoique coupable à vos yeux, que j'implore vos bienfaits pour une mère qui a sucé le même sein dont vous avez été allaité, qui fut nommée sur les fonts de baptême et fut induite en erreur par Monsieur votre frère. »

Il me répondit à toutes ces vérités, qu'il devait douter de tous ces faits. Je sortis en le saluant respectueusement, et en lui disant que rien n'était plus aisé que le doute, que quand même je voudrais le convaincre, je ne pourrais point le toucher. Voilà ce que m'inspira mon respect pour son caractère.

Je ne m'en tins pas à cette démarche : on m'avait assuré que Mme la marquise ne vous laissait manquer de rien ; d'après la nouvelle affligeante que je reçus de votre situation, j'écrivis à Mme la marquise la veille qu'elle prit le voile. Voici les paroles exactes dont j'ai l'original :

Mme de Flaucourt est en retraite pour sa prise d'habit, elle fait du bien à la mère de la personne en Languedoc, sa fille n'en a pas besoin ; c'est tout ce qu'elle peut faire : ce dimanche...

LA MARQUISE DE FLAUCOURT

Voilà, ma chère mère, comme j'étais tranquille en vous croyant heureuse, et je pensais d'après ces paroles religieuses, que vous vouliez éprouver mon amour filial en m'apprenant vos besoins et vos malheurs, qui ne sont que trop réels d'après le triste récit de différentes personnes ; je ne me connais plus, je ne saurai plus vaincre l'indignation que j'éprouve pour des personnes qui m'ont si longtemps inspiré l'amour et le respect. Si des procédés pareils étaient connus dans le public, ils seraient condamnés comme les actes du plus affreux fanatisme.

Enfin, que vous dirai-je ? Toutes mes réflexions et mon indignation ne vous tirent pas de l'embarras où vous êtes plongée. Vous recevrez par ce courrier encore cent vingt livres et par le courrier prochain vous connaîtrez où va ma tendre amitié pour vous, en sacrifiant le peu de revenu que j'ai pour assurer votre existence ; ma cruelle sœur est loin de m'imiter, quoiqu'elle soit beaucoup plus fortunée que moi. Enfin, peut-être un jour les remords la toucheront ; mais je crains bien pour son repos que cela n'arrive que trop tard, ainsi je ne peux rien sur elle, et ce n'est que de moi que j'attends votre consolation ; il m'est bien doux de la faire moi seule, mais je voudrais pour elle qu'elle en partageât le salaire.

Soyez persuadée, ma chère mère, que si je ne pars pas pour aller vous soigner, c'est pour vous conserver un argent perdu en voyage, et que ma triste position ne me permet pas de vous envoyer tous les secours dont vous avez besoin. Voilà comme mon cœur se déchire entre la raison et ma tendre amitié pour vous, qui ne cesse de m'inspirer d'aller vous serrer dans mes bras, et de vous rendre les services qui vous sont nécessaires, et qui ne se rendent jamais aussi bien par un étranger. Je souffre cruellement de vous savoir accablée de douleurs et de maux et d'être privée de vous donner toute la consolation dont je suis capable ; mais j'espère que le Ciel sera touché de mes tourments, qu'il vous rendra la santé et qu'il m'accordera le bonheur de pouvoir vous donner tous mes soins, c'est dans cette espérance que je suis, ma chère et respectable mère, la plus soumise et la plus tendre des filles.

DE VALMONT

LETTRE

D'Olinde à Mme de Valmont, sa fille

Qui plus que moi, ma très chère fille, est sensible aux peines et tracasseries que je vous donne, et qui désire plus des occasions de vous en dédommager. Elles sont perdues pour moi : mon âge, la perte de ma fortune et mes infirmités m'en ont ravi l'espoir. Si la sensibilité doit en tenir la place, jamais mère ne fut plus touchée des bienfaits que je reçois de ma chère fille.

Il m'a été assuré que le marquis de Flaucourt avait laissé entre les mains de son épouse une somme pour qu'elle vous fût remise après sa mort ; mais je vois bien que cette veuve n'a point acquitté envers vous les engagements de votre père, ni les siens envers moi. J'ai cru m'apercevoir dans ses discours, lorsque je l'ai vue dans son passage, qu'elle se faisait un plaisir d'irriter et d'accroître les maux des malheureux ; elle me dit que Dieu ne m'affligeait que pour éprouver mon repentir, que son époux avait ressenti des maux cruels les dix dernières années de sa vie, qu'il avait mis tout au pied de la Croix, et que j'imitasse le plus vertueux des hommes à ses derniers moments : « Mais hélas ! lui répondis-je, il était riche, madame, et le superflu de sa fortune me ferait supporter mes maux avec bien plus de patience. Née dans l'aisance, infirme dans mes vieux jours, personne pour me servir, je mourrais sans secours, si la plus respectable de toutes les filles n'apportait le plus prompt soulagement à ma misère, quoique éloignée de moi de deux cents lieues. »

Elle eut le courage de me dire (ô ma chère fille, je frémis de te le répéter) qu'il fallait t'oublier, et renoncer à t'écrire. « Moi, lui dis-je, oublier ma fille, mon sang, le seul être qui s'intéresse à moi sur la terre ! La mort me paraîtrait cent fois moins cruelle que d'être privée une seule fois de ses chères nouvelles. Si c'est à ce prix, madame, que vous voulez prendre soin de mes vieux jours, retenez vos bienfaits, et laissez-moi dans la misère. »

Je sortis de sa présence persuadée que je lui avais déplu, et si j'ai manqué en cela, voilà ce qu'on peut attribuer à la dureté de ses procédés.

Cet aveu me restait à te faire, et si tu n'avais point insisté à me demander les motifs qui m'avaient privée de recevoir des bienfaits de Mme la marquise, tu les ignorerais encore. Adieu, la plus recommandable des filles, et songe que ta mère ne forme plus qu'un désir, c'est de t'embrasser avant d'avoir terminé sa pénible existence.

LETTRE

De Mme de Valmont à La Fontaine

Le marquis de Flaucourt est de retour de sa terre depuis trois semaines, et je ne l'ai point encore vu. On m'assurait que vous aviez porté le comble de séduction jusqu'à le détourner de venir chez moi. Comme je ne puis nuire ni à ses plaisirs, ni à ses intérêts, et que personne ne peut aller sur vos brisées avec de tels projets, pourquoi me privez-vous de sa présence, et l'empêchez-vous de remplir à mon égard ce que les bienséances au moins, pour ne rien dire de plus, semblent exiger de lui ? Il ne peut y avoir qu'un homme aussi vil, aussi rampant que vous, qui puisse détourner à ce point un jeune homme de ses devoirs ; il les oublie même auprès de sa famille, et vous seul en êtes l'auteur. Un méchant peut réussir quelque temps ; mais ses menées n'arrivent pas toujours à bon port, il vient un coup de vent qui le jette dans un péril d'où rien ne peut le tirer. Je veux bien m'abaisser jusqu'à vous faire ces observations, et vous représenter que le marquis vous punira un jour de l'avoir induit en erreur, et qu'il serait possible de croire que vous êtes susceptible de repentir si l'on voyait le marquis plus exact à ce qu'il se doit à lui-même.

Je ne vous fais pas mention de ce que vous avez prétendu me promettre de sa part, lorsque le marquis serait son maître. Une pension honnête devait combler mes vœux ; mais si pour l'obtenir il fallait m'adresser à vous, ah ! dans quelque état où la misère pût me réduire, je préférerais de périr dans le besoin plutôt que de devoir à mon frère des secours par votre négociation. Ce n'est pas pour moi qui je m'adresse à vous, c'est pour mon frère, pour sa gloire et son honneur ; et si vous voulez faire à l'avenir un meilleur usage de l'ascendant que vous avez sur lui, je pourrai croire que les méchants sont capables de changer, et de détruire par un noble retour les mauvaises dispositions de leur caractère.

Adieu, Monsieur ; je souhaite pour vous et pour la

société que mon observation influe sur votre esprit, et vous mène à l'honneur.

LETTRE

De Mme de Valmont au marquis de Flaucourt,
arrivant de sa terre,
trois mois après la mort de son père

On a vu, Monsieur le marquis, la fortune changer quelquefois les hommes ; mais ce sont ordinairement des âmes communes, ou des esprits grossiers. L'homme bien né ne se dément jamais dans telle position qu'il se trouve. Il semblait que vous aviez de l'amitié pour moi ; avant l'événement qui vous a rendu maître de votre fortune. Un vil métal aurait-il changé votre cœur ? j'en serais plus fâchée pour vous que pour moi. Je n'ai jamais visé à vos trésors : je vous aimais avec toute la tendresse fraternelle dont je suis susceptible, et qui n'était pas inspirée par l'intérêt. Il paraît cependant que cet intérêt existe de votre côté, et qu'il vous éloigne de moi, vous qui paraissiez narguer tout, et annoncer de la philosophie dans un âge où l'on n'en fait guère profession ; sur quel principe l'établissez-vous ?

Je ne suis plus votre sœur, parce que vous êtes devenu riche ; faites comme si vous ne l'étiez point, et venez me voir, ou apprenez-moi la raison qui puisse justifier votre éloignement. Personne ne sera plus indulgent que moi, si ce sont des motifs plus forts que mon raisonnement, car je vous assure que je me perds dans les réflexions que vous me faites faire.

Adieu, Monsieur le marquis, je deviendrai votre sœur quand vous serez pour moi Monsieur le comte.

LETTRE

De Mme de Valmont
au marquis de Flaucourt, son frère,
à son retour du Languedoc,
quelque temps après la mort de son père

Je ne sais, Monsieur, par quelle phrase je dois commencer la lettre que je juge à propos de joindre dans notre correspondance. Je ne suis plus à vos yeux cette sœur si désirée pour qui vous avez fait tant de recherches vaines pendant l'espace de cinq années. Il est donc vrai que la fortune change totalement le cœur de l'homme ; j'étais loin de craindre alors de vous un semblable extrême. Vous vous rappellerez peut-être combien votre nouvelle conduite doit me surprendre. Pourriez-vous oublier vos assiduités, votre amitié, vos serments, nos altercations sur le caractère de l'homme, et surtout à votre sujet concernant cette jeune Joséphine qui se déroba pour vous au désespoir de ses parents et qui fut s'enfermer dans un cloître et attendre constamment de voir réaliser un jour la foi de vos serments.

Je vous disais alors, mon frère :

« Vous êtes jeune, le temps et les circonstances changeront vos sentiments.

« — Non, ma sœur, non jamais. L'homme qui change sa façon de voir et de sentir, est un homme sans caractère, le ciel m'en a doué d'un trop décidé pour craindre que je puisse un jour varier dans mes systèmes et mes principes. Joséphine sera ma femme, ou je vous donne ma parole d'honneur, ma sœur, que l'hymen ne m'enchaînera jamais une autre épouse. »

Voilà vos véritables expressions. À peine maître de votre sort, de votre fortune, vous conduisez une autre personne à l'autel. Ce n'est point que je blâme cette alliance, sans doute elle est mieux assortie que celle que vous vouliez former avec une demoiselle d'un rang trop inférieur au vôtre. Vous ne pouviez vous unir avec elle sans déplaire en général à votre famille, et sans craindre le blâme vous avez pu sans doute devenir parjure, et les serments d'amant dans un jeune homme sont d'ailleurs si peu considérés, que le proverbe même semble les exempter de la solidité de leurs engagements ; mais la reconnaissance, le droit du sang, l'amitié fraternelle, la vertu enfin inséparable du véritable homme qui dans tous les temps le distingue du vulgaire, ce point d'honneur, surtout majeur dans tous les âges, qui soutient ses bons principes dans toutes les époques de sa vie, c'est par là que je vous attaque, oui, mon frère, je n'ai point d'autres armes, et je vous crois encore l'âme trop pure pour être invincible à mes atteintes, ce sont celles de la nature, pourriez-vous les combattre ?

Les lois, le préjugé vous rendent maître de tout, mais l'honneur ne vous dispense pas de verser sur une sœur naturelle, une légère partie du superflu de votre fortune, vous me l'aviez offert et promis, et vous me l'avez réitéré dans votre lettre, dans un moment où le cœur plein d'une véritable affliction s'abandonne à tous ses épanchements qui sont purs et bienfaisants. Je la remets sous vos yeux.

Vous apprendrez par ma lettre, ma très chère sœur, le triste événement qui nous afflige. Nous avons perdu hier mon père, il a succombé aux souffrances cruelles qu'il éprouvait depuis huit mois[1] ; elles s'étaient cependant suspendues les derniers jours de sa vie, et sa fin a été très paisible. Ma mère parle de se retirer au couvent et d'y prendre le voile, elle voulait même partir dès demain, mais mon oncle... l'a retenue. Je compte moi rester encore ici trois mois, et ensuite aller à Paris.

Bonjour, ma très chère sœur ; je vous quitte, car je suis accablé de lettres, et vous prie de croire aux sentiments bien tendres que je vous ai voués, et à la promesse inviolable de réparer les torts que mon père a eus trop longtemps envers vous.

LE MARQUIS DE FLAUCOURT

La voilà, mon frère, cette lettre, et pouvez-vous la révoquer en doute ? Je vous communiquai celle que j'écrivis à l'auteur de nos jours, vous l'approuvâtes, vous en vîtes la réponse. Ses promesses à la vérité se bornaient à ne prendre soin que de ma

1. Lefranc fut atteint d'une paralysie des membres et de la gorge. Dès avril 1784, il était incapable de tenir une plume et la gangrène s'empara des pieds au mois de mai. Il mourut le 1er novembre (voir T. E. D. Braun, *Un ennemi de Voltaire. Lefranc de Pompignan*, op.cit., p. 62).

mère. Sa digne épouse, disait-il, devait se charger de tout. Vous-même m'aviez fait entendre que je serais à la tête de votre maison, si cette proposition pouvait me convenir. Votre agent, ce vil La Fontaine, m'a assuré de votre part devant plusieurs personnes, que maître de votre fortune, vous me donneriez une pension honnête, que c'étaient là vos intentions, et que vous l'aviez dit à qui avait voulu l'entendre.

Je suis loin d'exiger l'exécution de ces promesses, mais je peux prétendre au moins à une pension alimentaire pour ma pauvre mère ; elle est sous vos yeux accablée de maux et dans la plus profonde indigence, que je soulage faiblement par mes modiques secours, mais en m'en retraçant l'affreux tableau, je sens mon cœur déchiré, mes larmes coulent abondamment sans que l'espoir de vous toucher puisse les arrêter. Je compte cependant encore sur vous, je n'attends plus rien de votre cruelle mère, ni de M***. Que toutes vos promesses à mon égard se réduisent à donner à celle de qui j'ai reçu le jour, une somme de huit cents livres, et je lui conserverai encore ce dont je me prive pour elle. Ô mon frère ! songez à ce que vous étiez, à ce que vous devez être, à ce que vous serez un jour, si vous avez la douceur d'être père ; vous sentirez alors que nous n'avons rien de plus cher au monde que ceux à qui nous donnons la naissance, et ceux à qui nous la devons.

Si vous êtes sourd à ma prière, si votre cœur est fermé à tous les tourments qui dévorent le mien, et si le même sang qui coule dans nos veines ne vous parle pas en faveur de l'infortunée pour laquelle j'implore votre humanité, vous n'êtes point le digne fils de l'homme célèbre qui nous a donné l'être à tous deux. La nature a tant de pouvoir sur mon âme, qu'elle n'a pu vous refuser le don précieux dont elle m'a comblée. C'est à cette même sensibilité que vous m'avez prouvée dans votre recherche et dans la conduite que vous avez tenue avec moi quelque temps, que j'en appelle. Si vous avez changé, vous n'avez pu étouffer le cri de la nature, céder à ses impulsions qui s'expriment par ma voix.

Ô mon frère, mon cher frère, ne rejetez point une demande aussi légitime, et ne rebutez pas un cœur que l'humanité et la méchanceté des hommes n'ont que trop ulcéré et dont votre retour peut seul fermer les cicatrices en portant les plus prompts secours aux pressants besoins de la plus intéressante, et la plus infortunée des femmes, et qu'enfin je puisse dire un jour : trop longtemps les mauvais conseils l'égarèrent, mais il ne fallut qu'un moment pour le ramener à la vertu, à l'humanité. C'est à cet heureux changement que l'on reconnaîtra le fils d'un aussi vertueux père. Je vais supporter dans cette espérance avec plus de calme le poids de tous mes chagrins.

DE VALMONT

LETTRE

De l'auteur

J'ai rempli vos désirs et vos intentions, Monsieur le comte ; la voilà cette correspondance de nos jours, et que l'on regardera vraisemblablement comme un roman. Je le souhaite pour ceux dont Mme de Valmont a à se plaindre à si juste titre.

On m'a raconté que vous aviez eu une altercation vive à son sujet ; c'est une imprudence, Monsieur le comte, que de prendre le parti du sexe opprimé ; jadis, dans ce fameux jadis, c'était une vertu, et aujourd'hui c'est un ridicule. Ces heureux siècles pour les femmes reviendront peut-être ; mais nous n'y serons plus, et ce temps d'abandon sera regardé par nos neveux comme fabuleux.

Mais laissons là mes tristes réflexions ; elles n'arrêteront point le train que les hommes ont pris : je ne dois m'occuper que de ma besogne, qui me paraît de plus en plus pénible et épineuse. Le désagréable travail que de mettre l'ensemble dans une correspondance ! Si elle ne m'avait pas autant intéressée, je l'aurais abandonnée à la moitié, quoique je l'eusse déjà annoncé dans mon *Homme généreux*[1].

Le lecteur sans doute doit être bien convaincu que ces lettres ne sont pas de mon imagination,

---

1. Drame en cinq actes, publié en 1786, puis en 1788 dans le tome II des *Œuvres*.

que ce sont autant d'originaux que je n'ai eu d'autre peine que de mettre en ordre. D'ailleurs, on connaît mon impuissance pour faire des vers, et celui qui les a composés était loin de prévoir alors qu'ils seraient un jour imprimés. Si le public était persuadé comme vous, Monsieur le comte, de cette vérité, cette correspondance intéresserait bien davantage, et ces vers, tels qu'ils sont, qui n'ont été que l'affaire d'un instant pour celui qui les a faits, auraient coûté plus de soins à tout autre. Quand le marquis de Flaucourt voudra se livrer à l'étude, il sortira de sa plume des ouvrages qui ne dérogeront pas aux écrits immortels de son illustre père.

Mme de Valmont était née pour marcher sur leurs traces ; mais son étoile est aussi bizarre que la mienne ; elle fut, comme vous savez, Monsieur le comte, aussi négligée dans son enfance que je l'ai été ; mais elle jouit de l'anonyme, et moi je me mets à découvert pour elle : heureuse, si je peux réussir, et si je puis émouvoir son frère au point qu'il lui accorde la seule consolation qu'elle exige de lui, qu'elle a droit d'attendre. J'ai trouvé dans toutes ses paperasses des vers que Mme de Valmont avaient faits elle-même au moment qu'elle reçut la triste nouvelle de la mort du marquis de Flaucourt, et je les fais aussi imprimer. Vous verrez, Monsieur le comte, que la nature en fit un poète dans un instant.

Je vous ferai passer à votre terre le premier volume de mes *Œuvres*, qui sera relié, si vous n'êtes pas de retour à Paris avant qu'il soit imprimé.

J'ai l'honneur d'être, Monsieur le comte, avec

l'attachement le plus inviolable, et les sentiments les plus distingués,

Votre très humble et très obéissante servante.

Vers de Mme de Valmont,
en recevant la triste nouvelle de la mort
de son père

D'un mortel vertueux, oui j'ai reçu le jour,
Mais l'affreux fanatisme étouffa son amour.
La mort me l'a ravi, sans que de la nature,
Son cœur, glacé par l'âge, ait senti le murmure.
Cependant quand mes yeux commençaient à
   s'ouvrir,
Sur mon sort malheureux il parut s'attendrir.
Il est mort sans songer qu'il laissait sur la terre
La moitié de lui-même, un cœur fait pour lui plaire.
Je me rappelle, hélas ! qu'en mes plus jeunes ans,
J'étais l'objet chéri de ses soins complaisants.
D'un cruel préjugé son âme fut émue,
Et d'un épais bandeau l'erreur couvrit sa vue.
Je m'applaudis pourtant d'être le triste fruit
D'un amour dont ma mère eut le cœur trop séduit.
Je dois à ce grand homme, admiré par la France,
D'un esprit naturel, la vive intelligence ;
Par l'éducation cet esprit éclairé,
Sans doute aurait brûlé d'un feu plus épuré ;
Mais l'on reconnaîtra toujours la même source,
D'un écrivain fameux arrêté dans sa course.
Il eut des ennemis, et, dans sa piété,
Il dédaigna les traits dont il fut insulté.

Le frère qui me reste, est digne de sa race ;
De son illustre père il suit déjà la trace ;
Et bientôt au public ouvrira les trésors
Que l'auteur de ses jours cacha loin de ces bords,
Ces écrits immortels, enfants de son génie,
Qui feront, en tout temps, l'honneur de sa patrie.

10/18 – 92 avenue de France, 75013 PARIS

Imprimé en France par CPI

N° d'impression : 2066965
X08107/01